2020

Author Journey

Weekly Planner & Success Guide

LAURIE J. EDWARDS & DEMI STEVENS

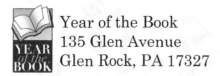 Year of the Book
135 Glen Avenue
Glen Rock, PA 17327

Print ISBN: 978-1-64649-031-8

Ebook ISBN: 978-1-64649-032-5

Welcome

As writers, we're often told, "Write the book you wish were in the world," and for Laurie and Demi, that's a day planner to organize and guide our writing and publishing productivity, our habits for success, reminders to not take ourselves so seriously, and of course, to inspire and fill the creative well.

"Breathe, darling. This is just a chapter.
It's not your whole story." —S.C. Lourie

Friends often ask how we get so much done, so together we set about a review of our previous year in business and life. This book is a result of the lessons we learned.

As we thumbed the pages of our well-worn datebooks, it became obvious that—like everyone else—we had forgotten much of what seemed like a big deal at the time. The day-to-day drifted away, and even the sparkling points we ought to have celebrated vigorously became just one more checkmark that let us start the next task on our to-do list.

If you don't want to burn out,
stop living like you're on fire.

By reviewing the previous 12 months in depth, we discovered things about the way we spent our time and the way those tasks had been rewarded (monetarily, physically, and emotionally). Now, you'd think we might have understood this intuitively. Because, after all, we were the ones living it. But in the moment, it's difficult to notice the water warming around you one degree at a time. Until it's boiling.

We longed for a way forward without forgetting these hard-won insights. And we hope you'll benefit, too, because writers are a beautiful breed of humans, and we want to see you thrive. Your words have power. Your stories need to be shared. And together, we can change the world.

"You can't go back and change the beginning,
but you can start where you are
and change the ending." —C.S. Lewis

Looking Back ... and Looking Ahead

To launch you into your best and most rewarding writing year, it's important to acknowledge and give gratitude for the year that came before. In the pages that follow, consider each question, and WRITE your responses in PEN. It's time for you to stop playing small. Perfection does not serve you. Just dive in and get messy. Your life is a first draft!

Take time to celebrate the milestones achieved this past year and recognize goals left undone. You get to decide which ones move forward with you. If a long-held goal or belief no longer serves you, then thank and release it. You'll need space in which to create.

> By selectively saying 'no' to tasks that don't feed you,
> you can finally find a way to say 'yes' to your dreams.

A writer's journey begins with ONE STEP. You took your first step forward by sitting down with this planner. Where do you go next? That's up to YOU.

Where do YOU want to be this time next year?

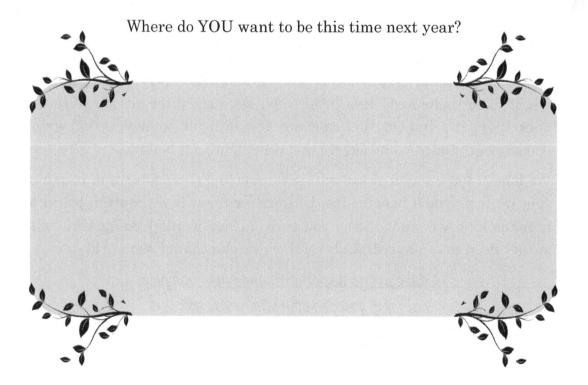

Don't let life sidetrack you from reaching YOUR goals. Use this planner as a roadmap for all your HOPES and DREAMS. Make the book yours. Write in it. Plan in it. Live an INSPIRED life.

- ◆ Envision your future
- ◆ Decide on your goals
- ◆ Set daily intentions
- ◆ Track writing progress
- ◆ Overcome procrastination
- ◆ Evaluate your progress
- ◆ Take time for gratitude

- ◆ Remember appointments
- ◆ Record story ideas
- ◆ Check off books you read
- ◆ Organize writing contacts
- ◆ List expenses and submissions
- ◆ Note your accomplishments
- ◆ Use time wisely

*"When there is too much,
something is missing." —Leo Rosten*

Think of one word to describe your IDEAL year:

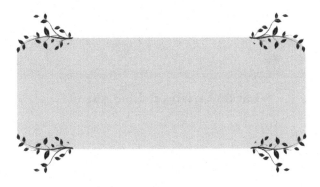

Now it's time for a little review.

Looking Back...

What were the most memorable moments of last year?

What am I most grateful for?

What do I wish I'd done less of?

What were my top successes for the year?

Am I happy with my priorities?

How do I feel about my writing/life balance?

How am I different from this time last year?

Am I happy with my progress this year?

What would I like to change?

What were my greatest challenges?
What did I learn from them?

Who inspired me most this year? How and why?

What are the top three things I wish I'd accomplished?

BE SURE TO INCLUDE THESE AS PRIORITIES IN PLANNING THIS YEAR.

Looking Ahead...

As the new year opens before me, what steps can I take to reach my dreams? Begin by moving beyond the POSSIBLE to envisioning the INCREDIBLE.

If there are NO LIMITS and ANYTHING is POSSIBLE, I'd. . .

Use the next page to map the biggest goals you want to achieve in each area of your life:

* Personal
* Family
* Writing
* Business
* Health
* Spiritual

Draw connecting lines from each goal to the steps you'll take to get it done.

Ex:

Reserve hotel
Register
Research dates/locations
Attend writing Conference
Book travel
Block out time
Sign up for critique

My Creative Space

Mindmap. Sketch. List. Color.
Use whatever stimulates you to record your plans and goals.
Create a vision that inspires you, a purpose that makes you passionate to start each day.

Select the dream that resonates most with you and put it on the tree trunk. Then break down the dream into goals as follows:

SOIL: What support or resources do you need to make this happen? List mentors, books, classes, etc. Maybe you need more time, money, office space. Try to come up with ways to get the support you need.

ROOTS: The roots are your core beliefs. They underpin any dream. What do you believe about yourself and your ability to suceed? If your core beliefs need to be changed, write new, empowering beliefs you plan to adopt this year.

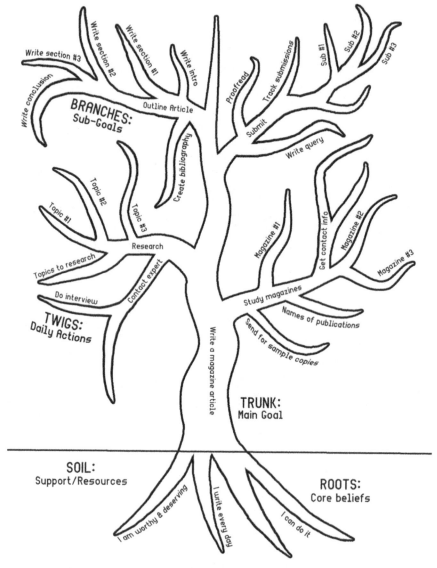

BRANCHES: Break down the goal to doable actions.

TWIGS: Use these for smaller actions or daily goals. Add deadlines if desired.

LEAVES: When you complete a goal, draw a leaf on the end of that branch. Date it and color it in. When you've completed all your goals, you'll have a flowering tree. Make copies of the tree for other goals.

Need more space to map out your awesome dream goals?
Visit YOTBpress.com/authorjourney for free printables!

Dream Goals

Make a list of everything you've been wanting to do. Revisit this list each month, and add items to your calendar...because making time for your goals is the only way to get them DONE

☑ 1. Plan for the writing year ahead _____

☐ 2. _____

☐ 3. _____

☐ 4. _____

☐ 5. _____

☐ 6. _____

☐ 7. _____

☐ 8. _____

☐ 9. _____

☐ 10. _____

☐ 11. _____

☐ 12. _____

☐ 13. _____

☐ 14. _____

☐ 15. _____

☐ 16. _____

☐ 17. _____

☐ 18. _____

☐ 19. _____

☐ 20. _____

☐ 21. _____

☐ 22. _____

☐ 23. _____

☐ 24. _____

☐ 25. _____

☐ 26. _____

☐ 27. _____

☐ 28. _____

☐ 29. _____

☐ 30. _____

☐ 31. _____

☐ 32. _____

☐ 33. _____

☐ 34. _____

☐ 35. _____

☐ 36. _____

☐ 37. _____

☐ 38. _____

☐ 39. _____

☐ 40. _____

☐ 41. _____

☐ 42. _____

☐ 43. _____

☐ 44. _____

☐ 45. _____

Need more space to list your awesome dream goals?

Visit YOTBpress.com/authorjourney for free printables!

2020

~January~

S	M	T	W	T	F	S
			1	2	3	4
5	6	7	8	9	10	11
12	13	14	15	16	17	18
19	20	21	22	23	24	25
26	27	28	29	30	31	

~February~

S	M	T	W	T	F	S
						1
2	3	4	5	6	7	8
9	10	11	12	13	14	15
16	17	18	19	20	21	22
23	24	25	26	27	28	29

~March~

S	M	T	W	T	F	S
1	2	3	4	5	6	7
8	9	10	11	12	13	14
15	16	17	18	19	20	21
22	23	24	25	26	27	28
29	30	31				

~April~

S	M	T	W	T	F	S
			1	2	3	4
5	6	7	8	9	10	11
12	13	14	15	16	17	18
19	20	21	22	23	24	25
26	27	28	29	30		

~May~

S	M	T	W	T	F	S
					1	2
3	4	5	6	7	8	9
10	11	12	13	14	15	16
17	18	19	20	21	22	23
24	25	26	27	28	29	30
31						

~June~

S	M	T	W	T	F	S
	1	2	3	4	5	6
7	8	9	10	11	12	13
14	15	16	17	18	19	20
21	22	23	24	25	26	27
28	29	30				

~July~

S	M	T	W	T	F	S
			1	2	3	4
5	6	7	8	9	10	11
12	13	14	15	16	17	18
19	20	21	22	23	24	25
26	27	28	29	30	31	

~August~

S	M	T	W	T	F	S
						1
2	3	4	5	6	7	8
9	10	11	12	13	14	15
16	17	18	19	20	21	22
23	24	25	26	27	28	29
30	31					

~September~

S	M	T	W	T	F	S
		1	2	3	4	5
6	7	8	9	10	11	12
13	14	15	16	17	18	19
20	21	22	23	24	25	26
27	28	29	30			

~October~

S	M	T	W	T	F	S
				1	2	3
4	5	6	7	8	9	10
11	12	13	14	15	16	17
18	19	20	21	22	23	24
25	26	27	28	29	30	31

~November~

S	M	T	W	T	F	S
1	2	3	4	5	6	7
8	9	10	11	12	13	14
15	16	17	18	19	20	21
22	23	24	25	26	27	28
29	30					

~December~

S	M	T	W	T	F	S
		1	2	3	4	5
6	7	8	9	10	11	12
13	14	15	16	17	18	19
20	21	22	23	24	25	26
27	28	29	30	31		

Holidays

Jan 1	New Year's Day
Jan 20	MLK Jr. Day
Feb 14	Valentine's Day
Feb 17	Presidents' Day
Mar 17	St. Patrick's Day
Apr 12	Easter
May 25	Memorial Day
Jul 3	Independence Day (obs.)
Jul 4	Independence Day
Sep 7	Labor Day
Sep 18	Rosh Hashanah
Sep 27	Yom Kippur
Oct 12	Columbus Day
Oct 31	Halloween
Nov 11	Veterans Day
Nov 26	Thanksgiving Day
Dec 10	Hanukkah Begins
Dec 24	Christmas Eve
Dec 25	Christmas Day
Dec 31	New Year's Eve

2021

~ January ~

S	M	T	W	T	F	S
					1	2
3	4	5	6	7	8	9
10	11	12	13	14	15	16
17	18	19	20	21	22	23
24	25	26	27	28	29	30
31						

~ February ~

S	M	T	W	T	F	S
	1	2	3	4	5	6
7	8	9	10	11	12	13
14	15	16	17	18	19	20
21	22	23	24	25	26	27
28						

~ March ~

S	M	T	W	T	F	S
	1	2	3	4	5	6
7	8	9	10	11	12	13
14	15	16	17	18	19	20
21	22	23	24	25	26	27
28	29	30	31			

~ April ~

S	M	T	W	T	F	S
				1	2	3
4	5	6	7	8	9	10
11	12	13	14	15	16	17
18	19	20	21	22	23	24
25	26	27	28	29	30	

~ May ~

S	M	T	W	T	F	S
						1
2	3	4	5	6	7	8
9	10	11	12	13	14	15
16	17	18	19	20	21	22
23	24	25	26	27	28	29
30	31					

~ June ~

S	M	T	W	T	F	S
		1	2	3	4	5
6	7	8	9	10	11	12
13	14	15	16	17	18	19
20	21	22	23	24	25	26
27	28	29	30			

~ July ~

S	M	T	W	T	F	S
				1	2	3
4	5	6	7	8	9	10
11	12	13	14	15	16	17
18	19	20	21	22	23	24
25	26	27	28	29	30	31

~ August ~

S	M	T	W	T	F	S
1	2	3	4	5	6	7
8	9	10	11	12	13	14
15	16	17	18	19	20	21
22	23	24	25	26	27	28
29	30					

~ September ~

S	M	T	W	T	F	S
			1	2	3	4
5	6	7	8	9	10	11
12	13	14	15	16	17	18
19	20	21	22	23	24	25
26	27	28	29	30		

~ October ~

S	M	T	W	T	F	S
					1	2
3	4	5	6	7	8	9
10	11	12	13	14	15	16
17	18	19	20	21	22	23
24	25	26	27	28	29	30
31						

~ November ~

S	M	T	W	T	F	S
	1	2	3	4	5	6
7	8	9	10	11	12	13
14	15	16	17	18	19	20
21	22	23	24	25	26	27
28	29	30				

~ December ~

S	M	T	W	T	F	S
			1	2	3	4
5	6	7	8	9	10	11
12	13	14	15	16	17	18
19	20	21	22	23	24	25
26	27	28	29	30		

Holidays

Jan 1	New Year's Day	Jul 4	Independence Day	Nov 11	Veterans Day
Jan 18	MLK Jr. Day	Jul 5	Independence Day (obs.)	Nov 25	Thanksgiving Day
Feb 14	Valentine's Day	Sep 6	Labor Day	Nov 28	Hanukkah Begins
Feb 15	Presidents' Day	Sep 6	Rosh Hashanah	Dec 24	Christmas Eve
Mar 17	St. Patrick's Day	Sep 15	Yom Kippur	Dec 25	Christmas Day
Apr 4	Easter	Oct 11	Columbus Day	Dec 31	New Year's Eve
May 31	Memorial Day	Oct 31	Halloween		

January

Personal Projects

MONDAY	TUESDAY	WEDNESDAY
30	31	1
6	7	8
13	14	15
20	21	22
27	28	29

Writing Projects

Other

Social Media Goals

THURSDAY	FRIDAY	SATURDAY	SUNDAY
2	3	4	5
9	10	11	12
16	17	18	19
23	24	25	26
30	31	1	2

Sales / Releases / Queries

Week Of

Dec 30 — Jan 5

	30	31	1
	MONDAY	**TUESDAY**	**WEDNESDAY**

"A goal is a dream with a deadline."
—*Napoleon Hill*

PRIORITY GOALS

TO DO

DREAM GOALS

	INTENTIONS	INTENTIONS	INTENTIONS
6:00		6:00		6:00	
6:30		6:30		6:30	
7:00		7:00		7:00	
7:30		7:30		7:30	
8:00		8:00		8:00	
8:30		8:30		8:30	
9:00		9:00		9:00	
9:30		9:30		9:30	
10:00		10:00		10:00	
10:30		10:30		10:30	
11:00		11:00		11:00	
11:30		11:30		11:30	
	I AM CREATIVE	**MY WORDS MATTER**	**LIFE IS GOOD**
12:00		12:00		12:00	
12:30		12:30		12:30	
1:00		1:00		1:00	
1:30		1:30		1:30	
2:00		2:00		2:00	
2:30		2:30		2:30	
3:00		3:00		3:00	
3:30		3:30		3:30	
4:00		4:00		4:00	
4:30		4:30		4:30	
5:00		5:00		5:00	
5:30		5:30		5:30	
6:00		6:00		6:00	
6:30		6:30		6:30	
7:00		7:00		7:00	
7:30		7:30		7:30	
8:00		8:00		8:00	
WRITING PROGRESS		WRITING PROGRESS	WRITING PROGRESS

GRATITUDES

2	3	4	5
THURSDAY	**FRIDAY**	**SATURDAY**	**SUNDAY**
INTENTIONS	INTENTIONS	INTENTIONS	INTENTIONS
6:00	6:00	6:00	6:00
6:30	6:30	6:30	6:30
7:00	7:00	7:00	7:00
7:30	7:30	7:30	7:30
8:00	8:00	8:00	8:00
8:30	8:30	8:30	8:30
9:00	9:00	9:00	9:00
9:30	9:30	9:30	9:30
10:00	10:00	10:00	10:00
10:30	10:30	10:30	10:30
11:00	11:00	11:00	11:00
11:30	11:30	11:30	11:30
I MEET MY GOALS	BUILDING MY DREAMS	NO EXCUSES	I AM AN AUTHOR
12:00	12:00	12:00	12:00
12:30	12:30	12:30	12:30
1:00	1:00	1:00	1:00
1:30	1:30	1:30	1:30
2:00	2:00	2:00	2:00
2:30	2:30	2:30	2:30
3:00	3:00	3:00	3:00
3:30	3:30	3:30	3:30
4:00	4:00	4:00	4:00
4:30	4:30	4:30	4:30
5:00	5:00	5:00	5:00
5:30	5:30	5:30	5:30
6:00	6:00	6:00	6:00
6:30	6:30	6:30	6:30
7:00	7:00	7:00	7:00
7:30	7:30	7:30	7:30
8:00	8:00	8:00	8:00
WRITING PROGRESS	WRITING PROGRESS	WRITING PROGRESS	WRITING PROGRESS

LOOKING AHEAD

January

Week Of

Jan 6 – 12

"Write a short story every week. It's not possible to write 52 bad short stories in a row."
—Ray Bradbury

PRIORITY GOALS

TO DO

DREAM GOALS

	6 MONDAY		7 TUESDAY		8 WEDNESDAY
	INTENTIONS		**INTENTIONS**		**INTENTIONS**
6:00		6:00		6:00	
6:30		6:30		6:30	
7:00		7:00		7:00	
7:30		7:30		7:30	
8:00		8:00		8:00	
8:30		8:30		8:30	
9:00		9:00		9:00	
9:30		9:30		9:30	
10:00		10:00		10:00	
10:30		10:30		10:30	
11:00		11:00		11:00	
11:30		11:30		11:30	
	I AM CREATIVE		**MY WORDS MATTER**		**LIFE IS GOOD**
12:00		12:00		12:00	
12:30		12:30		12:30	
1:00		1:00		1:00	
1:30		1:30		1:30	
2:00		2:00		2:00	
2:30		2:30		2:30	
3:00		3:00		3:00	
3:30		3:30		3:30	
4:00		4:00		4:00	
4:30		4:30		4:30	
5:00		5:00		5:00	
5:30		5:30		5:30	
6:00		6:00		6:00	
6:30		6:30		6:30	
7:00		7:00		7:00	
7:30		7:30		7:30	
8:00		8:00		8:00	
	WRITING PROGRESS		**WRITING PROGRESS**		**WRITING PROGRESS**

GRATITUDES

9	10	11	12
THURSDAY	**FRIDAY**	**SATURDAY**	**SUNDAY**
INTENTIONS	INTENTIONS	INTENTIONS	INTENTIONS
6:00	6:00	6:00	6:00
6:30	6:30	6:30	6:30
7:00	7:00	7:00	7:00
7:30	7:30	7:30	7:30
8:00	8:00	8:00	8:00
8:30	8:30	8:30	8:30
9:00	9:00	9:00	9:00
9:30	9:30	9:30	9:30
10:00	10:00	10:00	10:00
10:30	10:30	10:30	10:30
11:00	11:00	11:00	11:00
11:30	11:30	11:30	11:30
I MEET MY GOALS	BUILDING MY DREAMS	NO EXCUSES	I AM AN AUTHOR
12:00	12:00	12:00	12:00
12:30	12:30	12:30	12:30
1:00	1:00	1:00	1:00
1:30	1:30	1:30	1:30
2:00	2:00	2:00	2:00
2:30	2:30	2:30	2:30
3:00	3:00	3:00	3:00
3:30	3:30	3:30	3:30
4:00	4:00	4:00	4:00
4:30	4:30	4:30	4:30
5:00	5:00	5:00	5:00
5:30	5:30	5:30	5:30
6:00	6:00	6:00	6:00
6:30	6:30	6:30	6:30
7:00	7:00	7:00	7:00
7:30	7:30	7:30	7:30
8:00	8:00	8:00	8:00
WRITING PROGRESS	WRITING PROGRESS	WRITING PROGRESS	WRITING PROGRESS

LOOKING AHEAD

January

Week Of

Jan 13 — 19

"We do not need magic to change the world. We carry all the power we need inside ourselves already.
—Joanne Rowling

PRIORITY GOALS

_____

_____

TO DO

_____

_____

_____

_____

_____

_____

_____

_____

_____

_____

_____

_____

_____

_____

_____

_____

DREAM GOALS

	13 MONDAY		14 TUESDAY		15 WEDNESDAY
	INTENTIONS		INTENTIONS		INTENTIONS
6:00		6:00		6:00	
6:30		6:30		6:30	
7:00		7:00		7:00	
7:30		7:30		7:30	
8:00		8:00		8:00	
8:30		8:30		8:30	
9:00		9:00		9:00	
9:30		9:30		9:30	
10:00		10:00		10:00	
10:30		10:30		10:30	
11:00		11:00		11:00	
11:30		11:30		11:30	
	I AM CREATIVE		MY WORDS MATTER		LIFE IS GOOD
12:00		12:00		12:00	
12:30		12:30		12:30	
1:00		1:00		1:00	
1:30		1:30		1:30	
2:00		2:00		2:00	
2:30		2:30		2:30	
3:00		3:00		3:00	
3:30		3:30		3:30	
4:00		4:00		4:00	
4:30		4:30		4:30	
5:00		5:00		5:00	
5:30		5:30		5:30	
6:00		6:00		6:00	
6:30		6:30		6:30	
7:00		7:00		7:00	
7:30		7:30		7:30	
8:00		8:00		8:00	
WRITING PROGRESS		WRITING PROGRESS		WRITING PROGRESS	

GRATITUDES

16	17	18	19
THURSDAY	**FRIDAY**	**SATURDAY**	**SUNDAY**
INTENTIONS	INTENTIONS	INTENTIONS	INTENTIONS

THURSDAY	FRIDAY	SATURDAY	SUNDAY
6:00	6:00	6:00	6:00
6:30	6:30	6:30	6:30
7:00	7:00	7:00	7:00
7:30	7:30	7:30	7:30
8:00	8:00	8:00	8:00
8:30	8:30	8:30	8:30
9:00	9:00	9:00	9:00
9:30	9:30	9:30	9:30
10:00	10:00	10:00	10:00
10:30	10:30	10:30	10:30
11:00	11:00	11:00	11:00
11:30	11:30	11:30	11:30
I MEET MY GOALS	**BUILDING MY DREAMS**	**NO EXCUSES**	**I AM AN AUTHOR**
12:00	12:00	12:00	12:00
12:30	12:30	12:30	12:30
1:00	1:00	1:00	1:00
1:30	1:30	1:30	1:30
2:00	2:00	2:00	2:00
2:30	2:30	2:30	2:30
3:00	3:00	3:00	3:00
3:30	3:30	3:30	3:30
4:00	4:00	4:00	4:00
4:30	4:30	4:30	4:30
5:00	5:00	5:00	5:00
5:30	5:30	5:30	5:30
6:00	6:00	6:00	6:00
6:30	6:30	6:30	6:30
7:00	7:00	7:00	7:00
7:30	7:30	7:30	7:30
8:00	8:00	8:00	8:00
WRITING PROGRESS	WRITING PROGRESS	WRITING PROGRESS	WRITING PROGRESS

LOOKING AHEAD

Week Of

Jan 20 — 26

*"You don't have to see
the whole staircase.
Just take the
first step."*
—Martin Luther King

PRIORITY GOALS

TO DO

DREAM GOALS

	20 MONDAY	21 TUESDAY	22 WEDNESDAY
	INTENTIONS	INTENTIONS	INTENTIONS
6:00		6:00	6:00
6:30		6:30	6:30
7:00		7:00	7:00
7:30		7:30	7:30
8:00		8:00	8:00
8:30		8:30	8:30
9:00		9:00	9:00
9:30		9:30	9:30
10:00		10:00	10:00
10:30		10:30	10:30
11:00		11:00	11:00
11:30		11:30	11:30
	I AM CREATIVE	MY WORDS MATTER	LIFE IS GOOD
12:00		12:00	12:00
12:30		12:30	12:30
1:00		1:00	1:00
1:30		1:30	1:30
2:00		2:00	2:00
2:30		2:30	2:30
3:00		3:00	3:00
3:30		3:30	3:30
4:00		4:00	4:00
4:30		4:30	4:30
5:00		5:00	5:00
5:30		5:30	5:30
6:00		6:00	6:00
6:30		6:30	6:30
7:00		7:00	7:00
7:30		7:30	7:30
8:00		8:00	8:00
	WRITING PROGRESS	WRITING PROGRESS	WRITING PROGRESS

GRATITUDES

23	24	25	26
THURSDAY	**FRIDAY**	**SATURDAY**	**SUNDAY**
INTENTIONS	INTENTIONS	INTENTIONS	INTENTIONS

THURSDAY		FRIDAY		SATURDAY		SUNDAY	
6:00		6:00		6:00		6:00	
6:30		6:30		6:30		6:30	
7:00		7:00		7:00		7:00	
7:30		7:30		7:30		7:30	
8:00		8:00		8:00		8:00	
8:30		8:30		8:30		8:30	
9:00		9:00		9:00		9:00	
9:30		9:30		9:30		9:30	
10:00		10:00		10:00		10:00	
10:30		10:30		10:30		10:30	
11:00		11:00		11:00		11:00	
11:30		11:30		11:30		11:30	
	I MEET MY GOALS		BUILDING MY DREAMS		NO EXCUSES		I AM AN AUTHOR
12:00		12:00		12:00		12:00	
12:30		12:30		12:30		12:30	
1:00		1:00		1:00		1:00	
1:30		1:30		1:30		1:30	
2:00		2:00		2:00		2:00	
2:30		2:30		2:30		2:30	
3:00		3:00		3:00		3:00	
3:30		3:30		3:30		3:30	
4:00		4:00		4:00		4:00	
4:30		4:30		4:30		4:30	
5:00		5:00		5:00		5:00	
5:30		5:30		5:30		5:30	
6:00		6:00		6:00		6:00	
6:30		6:30		6:30		6:30	
7:00		7:00		7:00		7:00	
7:30		7:30		7:30		7:30	
8:00		8:00		8:00		8:00	

WRITING PROGRESS	WRITING PROGRESS	WRITING PROGRESS	WRITING PROGRESS

LOOKING AHEAD

January

Week Of

Jan 27 – Feb 2

"If you're waiting for permission… GRANTED!"
—Demi Stevens

PRIORITY GOALS

TO DO

DREAM GOALS

	27 — MONDAY		28 — TUESDAY		29 — WEDNESDAY
	INTENTIONS		INTENTIONS		INTENTIONS
6:00		6:00		6:00	
6:30		6:30		6:30	
7:00		7:00		7:00	
7:30		7:30		7:30	
8:00		8:00		8:00	
8:30		8:30		8:30	
9:00		9:00		9:00	
9:30		9:30		9:30	
10:00		10:00		10:00	
10:30		10:30		10:30	
11:00		11:00		11:00	
11:30		11:30		11:30	
	I AM CREATIVE		MY WORDS MATTER		LIFE IS GOOD
12:00		12:00		12:00	
12:30		12:30		12:30	
1:00		1:00		1:00	
1:30		1:30		1:30	
2:00		2:00		2:00	
2:30		2:30		2:30	
3:00		3:00		3:00	
3:30		3:30		3:30	
4:00		4:00		4:00	
4:30		4:30		4:30	
5:00		5:00		5:00	
5:30		5:30		5:30	
6:00		6:00		6:00	
6:30		6:30		6:30	
7:00		7:00		7:00	
7:30		7:30		7:30	
8:00		8:00		8:00	
	WRITING PROGRESS		WRITING PROGRESS		WRITING PROGRESS

GRATITUDES

30	31	1	2
THURSDAY	FRIDAY	SATURDAY	SUNDAY
INTENTIONS	INTENTIONS	INTENTIONS	INTENTIONS
6:00	6:00	6:00	6:00
6:30	6:30	6:30	6:30
7:00	7:00	7:00	7:00
7:30	7:30	7:30	7:30
8:00	8:00	8:00	8:00
8:30	8:30	8:30	8:30
9:00	9:00	9:00	9:00
9:30	9:30	9:30	9:30
10:00	10:00	10:00	10:00
10:30	10:30	10:30	10:30
11:00	11:00	11:00	11:00
11:30	11:30	11:30	11:30
I MEET MY GOALS	BUILDING MY DREAMS	NO EXCUSES	I AM AN AUTHOR
12:00	12:00	12:00	12:00
12:30	12:30	12:30	12:30
1:00	1:00	1:00	1:00
1:30	1:30	1:30	1:30
2:00	2:00	2:00	2:00
2:30	2:30	2:30	2:30
3:00	3:00	3:00	3:00
3:30	3:30	3:30	3:30
4:00	4:00	4:00	4:00
4:30	4:30	4:30	4:30
5:00	5:00	5:00	5:00
5:30	5:30	5:30	5:30
6:00	6:00	6:00	6:00
6:30	6:30	6:30	6:30
7:00	7:00	7:00	7:00
7:30	7:30	7:30	7:30
8:00	8:00	8:00	8:00
WRITING PROGRESS	WRITING PROGRESS	WRITING PROGRESS	WRITING PROGRESS

LOOKING AHEAD

Monthly Overview

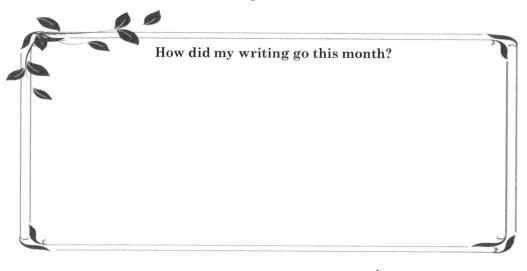

How did my writing go this month?

Did I meet my writing and personal goals? Why or why not?

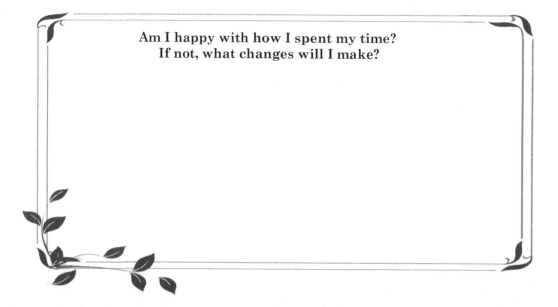

Am I happy with how I spent my time?
If not, what changes will I make?

What did I learn this month that proved helpful?

What was my biggest time/ energy waster this month?
How can I eliminate it?

What have I been procrastinating on?

FIND A PLACE TO SCHEDULE IT NEXT MONTH

What goals do I want to meet next month?

February

MONDAY	TUESDAY	WEDNESDAY
27	28	29
3	4	5
10	11	12
17	18	19
24	25	26

This Month's Focus

Personal Projects

Writing Projects

Other

Social Media Goals

THURSDAY	FRIDAY	SATURDAY	SUNDAY
30	31	1	2
6	7	8	9
13	14	15	16
20	21	22	23
27	28	29	1

Sales / Releases / Queries

February

"You can fix anything but a blank page."
—Nora Roberts

PRIORITY GOALS

TO DO

DREAM GOALS

	3		4		5	
	MONDAY		**TUESDAY**		**WEDNESDAY**	
	INTENTIONS		INTENTIONS		INTENTIONS	
6:00		6:00		6:00		
6:30		6:30		6:30		
7:00		7:00		7:00		
7:30		7:30		7:30		
8:00		8:00		8:00		
8:30		8:30		8:30		
9:00		9:00		9:00		
9:30		9:30		9:30		
10:00		10:00		10:00		
10:30		10:30		10:30		
11:00		11:00		11:00		
11:30		11:30		11:30		
	I AM CREATIVE		**MY WORDS MATTER**		**LIFE IS GOOD**	
12:00		12:00		12:00		
12:30		12:30		12:30		
1:00		1:00		1:00		
1:30		1:30		1:30		
2:00		2:00		2:00		
2:30		2:30		2:30		
3:00		3:00		3:00		
3:30		3:30		3:30		
4:00		4:00		4:00		
4:30		4:30		4:30		
5:00		5:00		5:00		
5:30		5:30		5:30		
6:00		6:00		6:00		
6:30		6:30		6:30		
7:00		7:00		7:00		
7:30		7:30		7:30		
8:00		8:00		8:00		
WRITING PROGRESS		WRITING PROGRESS		WRITING PROGRESS		

GRATITUDES

6 THURSDAY	7 FRIDAY	8 SATURDAY	9 SUNDAY
INTENTIONS	INTENTIONS	INTENTIONS	INTENTIONS
6:00	6:00	6:00	6:00
6:30	6:30	6:30	6:30
7:00	7:00	7:00	7:00
7:30	7:30	7:30	7:30
8:00	8:00	8:00	8:00
8:30	8:30	8:30	8:30
9:00	9:00	9:00	9:00
9:30	9:30	9:30	9:30
10:00	10:00	10:00	10:00
10:30	10:30	10:30	10:30
11:00	11:00	11:00	11:00
11:30	11:30	11:30	11:30
I MEET MY GOALS	BUILDING MY DREAMS	NO EXCUSES	I AM AN AUTHOR
12:00	12:00	12:00	12:00
12:30	12:30	12:30	12:30
1:00	1:00	1:00	1:00
1:30	1:30	1:30	1:30
2:00	2:00	2:00	2:00
2:30	2:30	2:30	2:30
3:00	3:00	3:00	3:00
3:30	3:30	3:30	3:30
4:00	4:00	4:00	4:00
4:30	4:30	4:30	4:30
5:00	5:00	5:00	5:00
5:30	5:30	5:30	5:30
6:00	6:00	6:00	6:00
6:30	6:30	6:30	6:30
7:00	7:00	7:00	7:00
7:30	7:30	7:30	7:30
8:00	8:00	8:00	8:00
WRITING PROGRESS	WRITING PROGRESS	WRITING PROGRESS	WRITING PROGRESS

LOOKING AHEAD

February

"Start writing,
no matter what.
The water does not
flow until the faucet
is turned on."
—Louis L'Amour

PRIORITY GOALS

TO DO

DREAM GOALS

	10 MONDAY	11 TUESDAY	12 WEDNESDAY
	INTENTIONS	INTENTIONS	INTENTIONS
6:00			
6:30			
7:00			
7:30			
8:00			
8:30			
9:00			
9:30			
10:00			
10:30			
11:00			
11:30			
	I AM CREATIVE	MY WORDS MATTER	LIFE IS GOOD
12:00			
12:30			
1:00			
1:30			
2:00			
2:30			
3:00			
3:30			
4:00			
4:30			
5:00			
5:30			
6:00			
6:30			
7:00			
7:30			
8:00			
	WRITING PROGRESS	WRITING PROGRESS	WRITING PROGRESS

GRATITUDES

13	14	15	16
THURSDAY	**FRIDAY**	**SATURDAY**	**SUNDAY**
INTENTIONS	INTENTIONS	INTENTIONS	INTENTIONS
6:00	6:00	6:00	6:00
6:30	6:30	6:30	6:30
7:00	7:00	7:00	7:00
7:30	7:30	7:30	7:30
8:00	8:00	8:00	8:00
8:30	8:30	8:30	8:30
9:00	9:00	9:00	9:00
9:30	9:30	9:30	9:30
10:00	10:00	10:00	10:00
10:30	10:30	10:30	10:30
11:00	11:00	11:00	11:00
11:30	11:30	11:30	11:30
I MEET MY GOALS	BUILDING MY DREAMS	NO EXCUSES	I AM AN AUTHOR
12:00	12:00	12:00	12:00
12:30	12:30	12:30	12:30
1:00	1:00	1:00	1:00
1:30	1:30	1:30	1:30
2:00	2:00	2:00	2:00
2:30	2:30	2:30	2:30
3:00	3:00	3:00	3:00
3:30	3:30	3:30	3:30
4:00	4:00	4:00	4:00
4:30	4:30	4:30	4:30
5:00	5:00	5:00	5:00
5:30	5:30	5:30	5:30
6:00	6:00	6:00	6:00
6:30	6:30	6:30	6:30
7:00	7:00	7:00	7:00
7:30	7:30	7:30	7:30
8:00	8:00	8:00	8:00
WRITING PROGRESS	WRITING PROGRESS	WRITING PROGRESS	WRITING PROGRESS

LOOKING AHEAD

February

"A professional writer is an amateur who didn't quit."
—Richard Bach

PRIORITY GOALS

TO DO

DREAM GOALS

	17 MONDAY	18 TUESDAY	19 WEDNESDAY
	INTENTIONS	INTENTIONS	INTENTIONS
6:00		6:00	6:00
6:30		6:30	6:30
7:00		7:00	7:00
7:30		7:30	7:30
8:00		8:00	8:00
8:30		8:30	8:30
9:00		9:00	9:00
9:30		9:30	9:30
10:00		10:00	10:00
10:30		10:30	10:30
11:00		11:00	11:00
11:30		11:30	11:30
	I AM CREATIVE	MY WORDS MATTER	LIFE IS GOOD
12:00		12:00	12:00
12:30		12:30	12:30
1:00		1:00	1:00
1:30		1:30	1:30
2:00		2:00	2:00
2:30		2:30	2:30
3:00		3:00	3:00
3:30		3:30	3:30
4:00		4:00	4:00
4:30		4:30	4:30
5:00		5:00	5:00
5:30		5:30	5:30
6:00		6:00	6:00
6:30		6:30	6:30
7:00		7:00	7:00
7:30		7:30	7:30
8:00		8:00	8:00
WRITING PROGRESS		WRITING PROGRESS	WRITING PROGRESS

GRATITUDES

20		21		22		23	
THURSDAY		**FRIDAY**		**SATURDAY**		**SUNDAY**	
INTENTIONS		INTENTIONS		INTENTIONS		INTENTIONS	
6:00		6:00		6:00		6:00	
6:30		6:30		6:30		6:30	
7:00		7:00		7:00		7:00	
7:30		7:30		7:30		7:30	
8:00		8:00		8:00		8:00	
8:30		8:30		8:30		8:30	
9:00		9:00		9:00		9:00	
9:30		9:30		9:30		9:30	
10:00		10:00		10:00		10:00	
10:30		10:30		10:30		10:30	
11:00		11:00		11:00		11:00	
11:30		11:30		11:30		11:30	
	I MEET MY GOALS		BUILDING MY DREAMS		NO EXCUSES		I AM AN AUTHOR
12:00		12:00		12:00		12:00	
12:30		12:30		12:30		12:30	
1:00		1:00		1:00		1:00	
1:30		1:30		1:30		1:30	
2:00		2:00		2:00		2:00	
2:30		2:30		2:30		2:30	
3:00		3:00		3:00		3:00	
3:30		3:30		3:30		3:30	
4:00		4:00		4:00		4:00	
4:30		4:30		4:30		4:30	
5:00		5:00		5:00		5:00	
5:30		5:30		5:30		5:30	
6:00		6:00		6:00		6:00	
6:30		6:30		6:30		6:30	
7:00		7:00		7:00		7:00	
7:30		7:30		7:30		7:30	
8:00		8:00		8:00		8:00	
WRITING PROGRESS		WRITING PROGRESS		WRITING PROGRESS		WRITING PROGRESS	

LOOKING AHEAD

February

Week Of

Feb 24 — Mar 1

"When you say 'yes' to others, make sure you are not saying 'no' to yourself."
—Pablo Coehlo

PRIORITY GOALS

TO DO

DREAM GOALS

	24 MONDAY		25 TUESDAY		26 WEDNESDAY
	INTENTIONS		INTENTIONS		INTENTIONS
6:00		6:00		6:00	
6:30		6:30		6:30	
7:00		7:00		7:00	
7:30		7:30		7:30	
8:00		8:00		8:00	
8:30		8:30		8:30	
9:00		9:00		9:00	
9:30		9:30		9:30	
10:00		10:00		10:00	
10:30		10:30		10:30	
11:00		11:00		11:00	
11:30		11:30		11:30	
	I AM CREATIVE		MY WORDS MATTER		LIFE IS GOOD
12:00		12:00		12:00	
12:30		12:30		12:30	
1:00		1:00		1:00	
1:30		1:30		1:30	
2:00		2:00		2:00	
2:30		2:30		2:30	
3:00		3:00		3:00	
3:30		3:30		3:30	
4:00		4:00		4:00	
4:30		4:30		4:30	
5:00		5:00		5:00	
5:30		5:30		5:30	
6:00		6:00		6:00	
6:30		6:30		6:30	
7:00		7:00		7:00	
7:30		7:30		7:30	
8:00		8:00		8:00	
WRITING PROGRESS		WRITING PROGRESS		WRITING PROGRESS	

GRATITUDES

	27 THURSDAY	28 FRIDAY	29 SATURDAY	1 SUNDAY
INTENTIONS			
6:00	6:00	6:00	6:00
6:30	6:30	6:30	6:30
7:00	7:00	7:00	7:00
7:30	7:30	7:30	7:30
8:00	8:00	8:00	8:00
8:30	8:30	8:30	8:30
9:00	9:00	9:00	9:00
9:30	9:30	9:30	9:30
10:00	10:00	10:00	10:00
10:30	10:30	10:30	10:30
11:00	11:00	11:00	11:00
11:30	11:30	11:30	11:30
I MEET MY GOALS	BUILDING MY DREAMS	NO EXCUSES	I AM AN AUTHOR
12:00	12:00	12:00	12:00
12:30	12:30	12:30	12:30
1:00	1:00	1:00	1:00
1:30	1:30	1:30	1:30
2:00	2:00	2:00	2:00
2:30	2:30	2:30	2:30
3:00	3:00	3:00	3:00
3:30	3:30	3:30	3:30
4:00	4:00	4:00	4:00
4:30	4:30	4:30	4:30
5:00	5:00	5:00	5:00
5:30	5:30	5:30	5:30
6:00	6:00	6:00	6:00
6:30	6:30	6:30	6:30
7:00	7:00	7:00	7:00
7:30	7:30	7:30	7:30
8:00	8:00	8:00	8:00
WRITING PROGRESS	**WRITING PROGRESS**	**WRITING PROGRESS**	**WRITING PROGRESS**

LOOKING AHEAD

Monthly Overview

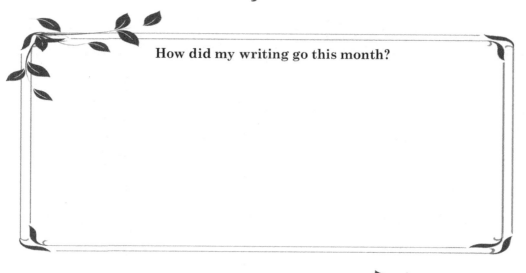

How did my writing go this month?

Did I meet my writing and personal goals? Why or why not?

Am I happy with how I spent my time?
If not, what changes will I make?

What did I learn this month that proved helpful?

What was my biggest time/ energy waster this month?
How can I eliminate it?

What have I been procrastinating on?

FIND A PLACE TO SCHEDULE IT NEXT MONTH

What goals do I want to meet next month?

March

MONDAY	TUESDAY	WEDNESDAY
24	25	26
2	3	4
9	10	11
16	17	18
23	24	25
30	31	1

This Month's Focus

Personal Projects

Writing Projects

Other

Social Media Goals

THURSDAY	FRIDAY	SATURDAY	SUNDAY
27	28	29	1
5	6	7	8
12	13	14	15
19	20	21	22
26	27	28	29
2	3	4	5

Sales / Releases / Queries

March

Week Of

Mar 2 – 8

*"Write the life
of your dreams.
Then find a way
to live it!"*
—Demi Stevens

PRIORITY GOALS

TO DO

DREAM GOALS

	2 MONDAY	3 TUESDAY	4 WEDNESDAY
	INTENTIONS	INTENTIONS	INTENTIONS
6:00		6:00		6:00	
6:30		6:30		6:30	
7:00		7:00		7:00	
7:30		7:30		7:30	
8:00		8:00		8:00	
8:30		8:30		8:30	
9:00		9:00		9:00	
9:30		9:30		9:30	
10:00		10:00		10:00	
10:30		10:30		10:30	
11:00		11:00		11:00	
11:30		11:30		11:30	
	I AM CREATIVE	MY WORDS MATTER	LIFE IS GOOD
12:00		12:00		12:00	
12:30		12:30		12:30	
1:00		1:00		1:00	
1:30		1:30		1:30	
2:00		2:00		2:00	
2:30		2:30		2:30	
3:00		3:00		3:00	
3:30		3:30		3:30	
4:00		4:00		4:00	
4:30		4:30		4:30	
5:00		5:00		5:00	
5:30		5:30		5:30	
6:00		6:00		6:00	
6:30		6:30		6:30	
7:00		7:00		7:00	
7:30		7:30		7:30	
8:00		8:00		8:00	
	WRITING PROGRESS	WRITING PROGRESS	WRITING PROGRESS
	GRATITUDES		

	5		**6**		**7**		**8**
	THURSDAY		**FRIDAY**		**SATURDAY**		**SUNDAY**
	INTENTIONS		INTENTIONS		INTENTIONS		INTENTIONS
6:00		6:00		6:00		6:00	
6:30		6:30		6:30		6:30	
7:00		7:00		7:00		7:00	
7:30		7:30		7:30		7:30	
8:00		8:00		8:00		8:00	
8:30		8:30		8:30		8:30	
9:00		9:00		9:00		9:00	
9:30		9:30		9:30		9:30	
10:00		10:00		10:00		10:00	
10:30		10:30		10:30		10:30	
11:00		11:00		11:00		11:00	
11:30		11:30		11:30		11:30	
	I MEET MY GOALS		BUILDING MY DREAMS		NO EXCUSES		I AM AN AUTHOR
12:00		12:00		12:00		12:00	
12:30		12:30		12:30		12:30	
1:00		1:00		1:00		1:00	
1:30		1:30		1:30		1:30	
2:00		2:00		2:00		2:00	
2:30		2:30		2:30		2:30	
3:00		3:00		3:00		3:00	
3:30		3:30		3:30		3:30	
4:00		4:00		4:00		4:00	
4:30		4:30		4:30		4:30	
5:00		5:00		5:00		5:00	
5:30		5:30		5:30		5:30	
6:00		6:00		6:00		6:00	
6:30		6:30		6:30		6:30	
7:00		7:00		7:00		7:00	
7:30		7:30		7:30		7:30	
8:00		8:00		8:00		8:00	
WRITING PROGRESS		WRITING PROGRESS		WRITING PROGRESS		WRITING PROGRESS	

LOOKING AHEAD

March

Week Of

Mar 9 – 15

"Always be a first-rate version of yourself, instead of a second-rate version of somebody else."
—Judy Garland

PRIORITY GOALS

TO DO

DREAM GOALS

	9 MONDAY	10 TUESDAY	11 WEDNESDAY
INTENTIONS	INTENTIONS	INTENTIONS	INTENTIONS
6:00			
6:30			
7:00			
7:30			
8:00			
8:30			
9:00			
9:30			
10:00			
10:30			
11:00			
11:30			
	I AM CREATIVE	MY WORDS MATTER	LIFE IS GOOD
12:00			
12:30			
1:00			
1:30			
2:00			
2:30			
3:00			
3:30			
4:00			
4:30			
5:00			
5:30			
6:00			
6:30			
7:00			
7:30			
8:00			
WRITING PROGRESS	WRITING PROGRESS	WRITING PROGRESS	WRITING PROGRESS
GRATITUDES			

12	13	14	15
THURSDAY	**FRIDAY**	**SATURDAY**	**SUNDAY**
INTENTIONS	INTENTIONS	INTENTIONS	INTENTIONS
6:00	6:00	6:00	6:00
6:30	6:30	6:30	6:30
7:00	7:00	7:00	7:00
7:30	7:30	7:30	7:30
8:00	8:00	8:00	8:00
8:30	8:30	8:30	8:30
9:00	9:00	9:00	9:00
9:30	9:30	9:30	9:30
10:00	10:00	10:00	10:00
10:30	10:30	10:30	10:30
11:00	11:00	11:00	11:00
11:30	11:30	11:30	11:30
I MEET MY GOALS	BUILDING MY DREAMS	NO EXCUSES	I AM AN AUTHOR
12:00	12:00	12:00	12:00
12:30	12:30	12:30	12:30
1:00	1:00	1:00	1:00
1:30	1:30	1:30	1:30
2:00	2:00	2:00	2:00
2:30	2:30	2:30	2:30
3:00	3:00	3:00	3:00
3:30	3:30	3:30	3:30
4:00	4:00	4:00	4:00
4:30	4:30	4:30	4:30
5:00	5:00	5:00	5:00
5:30	5:30	5:30	5:30
6:00	6:00	6:00	6:00
6:30	6:30	6:30	6:30
7:00	7:00	7:00	7:00
7:30	7:30	7:30	7:30
8:00	8:00	8:00	8:00
WRITING PROGRESS	WRITING PROGRESS	WRITING PROGRESS	WRITING PROGRESS

LOOKING AHEAD

Week Of

Mar 16 — 22

*"Writing is the
only thing that,
when I do it,
I don't feel I should be
doing something else."
—Gloria Steinem*

PRIORITY GOALS

TO DO

DREAM GOALS

	16 MONDAY		17 TUESDAY		18 WEDNESDAY
	INTENTIONS		INTENTIONS		INTENTIONS
6:00		6:00		6:00	
6:30		6:30		6:30	
7:00		7:00		7:00	
7:30		7:30		7:30	
8:00		8:00		8:00	
8:30		8:30		8:30	
9:00		9:00		9:00	
9:30		9:30		9:30	
10:00		10:00		10:00	
10:30		10:30		10:30	
11:00		11:00		11:00	
11:30		11:30		11:30	
	I AM CREATIVE		MY WORDS MATTER		LIFE IS GOOD
12:00		12:00		12:00	
12:30		12:30		12:30	
1:00		1:00		1:00	
1:30		1:30		1:30	
2:00		2:00		2:00	
2:30		2:30		2:30	
3:00		3:00		3:00	
3:30		3:30		3:30	
4:00		4:00		4:00	
4:30		4:30		4:30	
5:00		5:00		5:00	
5:30		5:30		5:30	
6:00		6:00		6:00	
6:30		6:30		6:30	
7:00		7:00		7:00	
7:30		7:30		7:30	
8:00		8:00		8:00	
WRITING PROGRESS		WRITING PROGRESS		WRITING PROGRESS	

GRATITUDES

19	20	21	22
THURSDAY	**FRIDAY**	**SATURDAY**	**SUNDAY**
INTENTIONS	INTENTIONS	INTENTIONS	INTENTIONS
6:00	6:00	6:00	6:00
6:30	6:30	6:30	6:30
7:00	7:00	7:00	7:00
7:30	7:30	7:30	7:30
8:00	8:00	8:00	8:00
8:30	8:30	8:30	8:30
9:00	9:00	9:00	9:00
9:30	9:30	9:30	9:30
10:00	10:00	10:00	10:00
10:30	10:30	10:30	10:30
11:00	11:00	11:00	11:00
11:30	11:30	11:30	11:30
I MEET MY GOALS	BUILDING MY DREAMS	NO EXCUSES	I AM AN AUTHOR
12:00	12:00	12:00	12:00
12:30	12:30	12:30	12:30
1:00	1:00	1:00	1:00
1:30	1:30	1:30	1:30
2:00	2:00	2:00	2:00
2:30	2:30	2:30	2:30
3:00	3:00	3:00	3:00
3:30	3:30	3:30	3:30
4:00	4:00	4:00	4:00
4:30	4:30	4:30	4:30
5:00	5:00	5:00	5:00
5:30	5:30	5:30	5:30
6:00	6:00	6:00	6:00
6:30	6:30	6:30	6:30
7:00	7:00	7:00	7:00
7:30	7:30	7:30	7:30
8:00	8:00	8:00	8:00
WRITING PROGRESS	WRITING PROGRESS	WRITING PROGRESS	WRITING PROGRESS

LOOKING AHEAD

March

Week Of

Mar 23 – 29

*"If my words reach
just one person...
I'm glad they
reached you!"*
—Demi Stevens

PRIORITY GOALS

TO DO

DREAM GOALS

	23 MONDAY		24 TUESDAY		25 WEDNESDAY
	INTENTIONS		INTENTIONS		INTENTIONS
6:00		6:00		6:00	
6:30		6:30		6:30	
7:00		7:00		7:00	
7:30		7:30		7:30	
8:00		8:00		8:00	
8:30		8:30		8:30	
9:00		9:00		9:00	
9:30		9:30		9:30	
10:00		10:00		10:00	
10:30		10:30		10:30	
11:00		11:00		11:00	
11:30		11:30		11:30	
	I AM CREATIVE		MY WORDS MATTER		LIFE IS GOOD
12:00		12:00		12:00	
12:30		12:30		12:30	
1:00		1:00		1:00	
1:30		1:30		1:30	
2:00		2:00		2:00	
2:30		2:30		2:30	
3:00		3:00		3:00	
3:30		3:30		3:30	
4:00		4:00		4:00	
4:30		4:30		4:30	
5:00		5:00		5:00	
5:30		5:30		5:30	
6:00		6:00		6:00	
6:30		6:30		6:30	
7:00		7:00		7:00	
7:30		7:30		7:30	
8:00		8:00		8:00	
WRITING PROGRESS		WRITING PROGRESS		WRITING PROGRESS	

GRATITUDES

26		27		28		29	
THURSDAY		**FRIDAY**		**SATURDAY**		**SUNDAY**	
INTENTIONS		INTENTIONS		INTENTIONS		INTENTIONS	
6:00		6:00		6:00		6:00	
6:30		6:30		6:30		6:30	
7:00		7:00		7:00		7:00	
7:30		7:30		7:30		7:30	
8:00		8:00		8:00		8:00	
8:30		8:30		8:30		8:30	
9:00		9:00		9:00		9:00	
9:30		9:30		9:30		9:30	
10:00		10:00		10:00		10:00	
10:30		10:30		10:30		10:30	
11:00		11:00		11:00		11:00	
11:30		11:30		11:30		11:30	
	I MEET MY GOALS		BUILDING MY DREAMS		NO EXCUSES		I AM AN AUTHOR
12:00		12:00		12:00		12:00	
12:30		12:30		12:30		12:30	
1:00		1:00		1:00		1:00	
1:30		1:30		1:30		1:30	
2:00		2:00		2:00		2:00	
2:30		2:30		2:30		2:30	
3:00		3:00		3:00		3:00	
3:30		3:30		3:30		3:30	
4:00		4:00		4:00		4:00	
4:30		4:30		4:30		4:30	
5:00		5:00		5:00		5:00	
5:30		5:30		5:30		5:30	
6:00		6:00		6:00		6:00	
6:30		6:30		6:30		6:30	
7:00		7:00		7:00		7:00	
7:30		7:30		7:30		7:30	
8:00		8:00		8:00		8:00	
WRITING PROGRESS		WRITING PROGRESS		WRITING PROGRESS		WRITING PROGRESS	

LOOKING AHEAD

Quarterly Overview

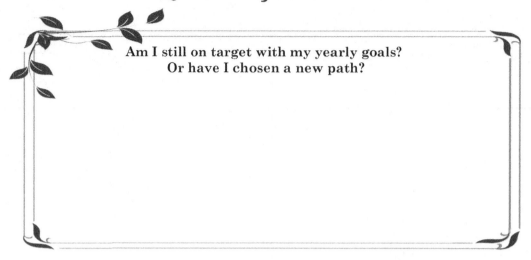

Am I still on target with my yearly goals?
Or have I chosen a new path?

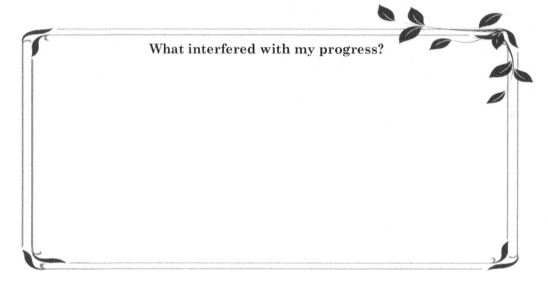

What interfered with my progress?

What can I do next quarter to eliminate these obstacles?

What do I need to let go of this coming quarter?

What happened this quarter that I need to reframe positively?

How do my work and activities reflect the yearly word I chose?

What do I hope to accomplish next quarter?

April

MONDAY	TUESDAY	WEDNESDAY
30	31	1
6	7	8
13	14	15
20	21	22
27	28	29

This Month's Focus

Personal Projects

Writing Projects

Other

Social Media Goals

THURSDAY	FRIDAY	SATURDAY	SUNDAY
2	3	4	5
9	10	11	12
16	17	18	19
23	24	25	26
30	1	2	3

Sales / Releases / Queries

Week Of

Mar 30 – Apr 5

*"You are the average
of the five people
you spend the most
time with."
—Jim Rohn*

PRIORITY GOALS

TO DO

DREAM GOALS

	30 MONDAY		31 TUESDAY		1 WEDNESDAY
INTENTIONS		INTENTIONS		INTENTIONS	
6:00		6:00		6:00	
6:30		6:30		6:30	
7:00		7:00		7:00	
7:30		7:30		7:30	
8:00		8:00		8:00	
8:30		8:30		8:30	
9:00		9:00		9:00	
9:30		9:30		9:30	
10:00		10:00		10:00	
10:30		10:30		10:30	
11:00		11:00		11:00	
11:30		11:30		11:30	
	I AM CREATIVE		MY WORDS MATTER		LIFE IS GOOD
12:00		12:00		12:00	
12:30		12:30		12:30	
1:00		1:00		1:00	
1:30		1:30		1:30	
2:00		2:00		2:00	
2:30		2:30		2:30	
3:00		3:00		3:00	
3:30		3:30		3:30	
4:00		4:00		4:00	
4:30		4:30		4:30	
5:00		5:00		5:00	
5:30		5:30		5:30	
6:00		6:00		6:00	
6:30		6:30		6:30	
7:00		7:00		7:00	
7:30		7:30		7:30	
8:00		8:00		8:00	
WRITING PROGRESS		WRITING PROGRESS		WRITING PROGRESS	

GRATITUDES

	2 THURSDAY	3 FRIDAY	4 SATURDAY	5 SUNDAY
	INTENTIONS	INTENTIONS	INTENTIONS	INTENTIONS
6:00				
6:30				
7:00				
7:30				
8:00				
8:30				
9:00				
9:30				
10:00				
10:30				
11:00				
11:30				
	I MEET MY GOALS	BUILDING MY DREAMS	NO EXCUSES	I AM AN AUTHOR
12:00				
12:30				
1:00				
1:30				
2:00				
2:30				
3:00				
3:30				
4:00				
4:30				
5:00				
5:30				
6:00				
6:30				
7:00				
7:30				
8:00				
	WRITING PROGRESS	WRITING PROGRESS	WRITING PROGRESS	WRITING PROGRESS

LOOKING AHEAD

April

Week Of

Apr 6 – 12

"It doesn't matter how many book ideas you have if you can't finish writing your book."
—Joe Bunting

PRIORITY GOALS

TO DO

DREAM GOALS

	6 MONDAY	7 TUESDAY	8 WEDNESDAY
	INTENTIONS	**INTENTIONS**	**INTENTIONS**
6:00			
6:30			
7:00			
7:30			
8:00			
8:30			
9:00			
9:30			
10:00			
10:30			
11:00			
11:30			
	I AM CREATIVE	**MY WORDS MATTER**	**LIFE IS GOOD**
12:00			
12:30			
1:00			
1:30			
2:00			
2:30			
3:00			
3:30			
4:00			
4:30			
5:00			
5:30			
6:00			
6:30			
7:00			
7:30			
8:00			
	WRITING PROGRESS	**WRITING PROGRESS**	**WRITING PROGRESS**

GRATITUDES

9	10	11	12
THURSDAY	**FRIDAY**	**SATURDAY**	**SUNDAY**
INTENTIONS	INTENTIONS	INTENTIONS	INTENTIONS

THURSDAY	FRIDAY	SATURDAY	SUNDAY
6:00	6:00	6:00	6:00
6:30	6:30	6:30	6:30
7:00	7:00	7:00	7:00
7:30	7:30	7:30	7:30
8:00	8:00	8:00	8:00
8:30	8:30	8:30	8:30
9:00	9:00	9:00	9:00
9:30	9:30	9:30	9:30
10:00	10:00	10:00	10:00
10:30	10:30	10:30	10:30
11:00	11:00	11:00	11:00
11:30	11:30	11:30	11:30
I MEET MY GOALS	BUILDING MY DREAMS	NO EXCUSES	I AM AN AUTHOR
12:00	12:00	12:00	12:00
12:30	12:30	12:30	12:30
1:00	1:00	1:00	1:00
1:30	1:30	1:30	1:30
2:00	2:00	2:00	2:00
2:30	2:30	2:30	2:30
3:00	3:00	3:00	3:00
3:30	3:30	3:30	3:30
4:00	4:00	4:00	4:00
4:30	4:30	4:30	4:30
5:00	5:00	5:00	5:00
5:30	5:30	5:30	5:30
6:00	6:00	6:00	6:00
6:30	6:30	6:30	6:30
7:00	7:00	7:00	7:00
7:30	7:30	7:30	7:30
8:00	8:00	8:00	8:00
WRITING PROGRESS	WRITING PROGRESS	WRITING PROGRESS	WRITING PROGRESS

LOOKING AHEAD

April

"Make the most of yourself by fanning the tiny inner sparks of possibility into flames of achievement."
—Golda Meir

PRIORITY GOALS

TO DO

DREAM GOALS

	13 MONDAY		14 TUESDAY		15 WEDNESDAY
	INTENTIONS		INTENTIONS		INTENTIONS
6:00		6:00		6:00	
6:30		6:30		6:30	
7:00		7:00		7:00	
7:30		7:30		7:30	
8:00		8:00		8:00	
8:30		8:30		8:30	
9:00		9:00		9:00	
9:30		9:30		9:30	
10:00		10:00		10:00	
10:30		10:30		10:30	
11:00		11:00		11:00	
11:30		11:30		11:30	
	I AM CREATIVE		MY WORDS MATTER		LIFE IS GOOD
12:00		12:00		12:00	
12:30		12:30		12:30	
1:00		1:00		1:00	
1:30		1:30		1:30	
2:00		2:00		2:00	
2:30		2:30		2:30	
3:00		3:00		3:00	
3:30		3:30		3:30	
4:00		4:00		4:00	
4:30		4:30		4:30	
5:00		5:00		5:00	
5:30		5:30		5:30	
6:00		6:00		6:00	
6:30		6:30		6:30	
7:00		7:00		7:00	
7:30		7:30		7:30	
8:00		8:00		8:00	
WRITING PROGRESS		WRITING PROGRESS		WRITING PROGRESS	

GRATITUDES

	16		17		18		19
	THURSDAY		**FRIDAY**		**SATURDAY**		**SUNDAY**
	INTENTIONS		INTENTIONS		INTENTIONS		INTENTIONS
6:00		6:00		6:00		6:00	
6:30		6:30		6:30		6:30	
7:00		7:00		7:00		7:00	
7:30		7:30		7:30		7:30	
8:00		8:00		8:00		8:00	
8:30		8:30		8:30		8:30	
9:00		9:00		9:00		9:00	
9:30		9:30		9:30		9:30	
10:00		10:00		10:00		10:00	
10:30		10:30		10:30		10:30	
11:00		11:00		11:00		11:00	
11:30		11:30		11:30		11:30	
	I MEET MY GOALS		**BUILDING MY DREAMS**		**NO EXCUSES**		**I AM AN AUTHOR**
12:00		12:00		12:00		12:00	
12:30		12:30		12:30		12:30	
1:00		1:00		1:00		1:00	
1:30		1:30		1:30		1:30	
2:00		2:00		2:00		2:00	
2:30		2:30		2:30		2:30	
3:00		3:00		3:00		3:00	
3:30		3:30		3:30		3:30	
4:00		4:00		4:00		4:00	
4:30		4:30		4:30		4:30	
5:00		5:00		5:00		5:00	
5:30		5:30		5:30		5:30	
6:00		6:00		6:00		6:00	
6:30		6:30		6:30		6:30	
7:00		7:00		7:00		7:00	
7:30		7:30		7:30		7:30	
8:00		8:00		8:00		8:00	
WRITING PROGRESS		WRITING PROGRESS		WRITING PROGRESS		WRITING PROGRESS	

LOOKING AHEAD

April

Week Of

Apr 20 – 26

"Very few writers really know what they are doing until they've done it."
—Anne Lamott

PRIORITY GOALS

TO DO

DREAM GOALS

	20 MONDAY		21 TUESDAY		22 WEDNESDAY
INTENTIONS		**INTENTIONS**		**INTENTIONS**	
6:00		6:00		6:00	
6:30		6:30		6:30	
7:00		7:00		7:00	
7:30		7:30		7:30	
8:00		8:00		8:00	
8:30		8:30		8:30	
9:00		9:00		9:00	
9:30		9:30		9:30	
10:00		10:00		10:00	
10:30		10:30		10:30	
11:00		11:00		11:00	
11:30		11:30		11:30	
	I AM CREATIVE		**MY WORDS MATTER**		**LIFE IS GOOD**
12:00		12:00		12:00	
12:30		12:30		12:30	
1:00		1:00		1:00	
1:30		1:30		1:30	
2:00		2:00		2:00	
2:30		2:30		2:30	
3:00		3:00		3:00	
3:30		3:30		3:30	
4:00		4:00		4:00	
4:30		4:30		4:30	
5:00		5:00		5:00	
5:30		5:30		5:30	
6:00		6:00		6:00	
6:30		6:30		6:30	
7:00		7:00		7:00	
7:30		7:30		7:30	
8:00		8:00		8:00	
WRITING PROGRESS		**WRITING PROGRESS**		**WRITING PROGRESS**	

GRATITUDES

23		24		25		26	
THURSDAY		**FRIDAY**		**SATURDAY**		**SUNDAY**	
INTENTIONS		INTENTIONS		INTENTIONS		INTENTIONS	
6:00		6:00		6:00		6:00	
6:30		6:30		6:30		6:30	
7:00		7:00		7:00		7:00	
7:30		7:30		7:30		7:30	
8:00		8:00		8:00		8:00	
8:30		8:30		8:30		8:30	
9:00		9:00		9:00		9:00	
9:30		9:30		9:30		9:30	
10:00		10:00		10:00		10:00	
10:30		10:30		10:30		10:30	
11:00		11:00		11:00		11:00	
11:30		11:30		11:30		11:30	
	I MEET MY GOALS		BUILDING MY DREAMS		NO EXCUSES		I AM AN AUTHOR
12:00		12:00		12:00		12:00	
12:30		12:30		12:30		12:30	
1:00		1:00		1:00		1:00	
1:30		1:30		1:30		1:30	
2:00		2:00		2:00		2:00	
2:30		2:30		2:30		2:30	
3:00		3:00		3:00		3:00	
3:30		3:30		3:30		3:30	
4:00		4:00		4:00		4:00	
4:30		4:30		4:30		4:30	
5:00		5:00		5:00		5:00	
5:30		5:30		5:30		5:30	
6:00		6:00		6:00		6:00	
6:30		6:30		6:30		6:30	
7:00		7:00		7:00		7:00	
7:30		7:30		7:30		7:30	
8:00		8:00		8:00		8:00	
WRITING PROGRESS		WRITING PROGRESS		WRITING PROGRESS		WRITING PROGRESS	

LOOKING AHEAD

April

*"Cultivate the habit
of being grateful
for every good thing
that comes to you…"*
—Ralph Waldo Emerson

PRIORITY GOALS

TO DO

DREAM GOALS

	27 MONDAY		28 TUESDAY		29 WEDNESDAY	
INTENTIONS			INTENTIONS		INTENTIONS	
6:00			6:00		6:00	
6:30			6:30		6:30	
7:00			7:00		7:00	
7:30			7:30		7:30	
8:00			8:00		8:00	
8:30			8:30		8:30	
9:00			9:00		9:00	
9:30			9:30		9:30	
10:00			10:00		10:00	
10:30			10:30		10:30	
11:00			11:00		11:00	
11:30			11:30		11:30	
	I AM CREATIVE		MY WORDS MATTER		LIFE IS GOOD	
12:00			12:00		12:00	
12:30			12:30		12:30	
1:00			1:00		1:00	
1:30			1:30		1:30	
2:00			2:00		2:00	
2:30			2:30		2:30	
3:00			3:00		3:00	
3:30			3:30		3:30	
4:00			4:00		4:00	
4:30			4:30		4:30	
5:00			5:00		5:00	
5:30			5:30		5:30	
6:00			6:00		6:00	
6:30			6:30		6:30	
7:00			7:00		7:00	
7:30			7:30		7:30	
8:00			8:00		8:00	
WRITING PROGRESS			WRITING PROGRESS		WRITING PROGRESS	

GRATITUDES

30	1	2	3
THURSDAY	**FRIDAY**	**SATURDAY**	**SUNDAY**
INTENTIONS	INTENTIONS	INTENTIONS	INTENTIONS

Thursday		Friday		Saturday		Sunday	
6:00		6:00		6:00		6:00	
6:30		6:30		6:30		6:30	
7:00		7:00		7:00		7:00	
7:30		7:30		7:30		7:30	
8:00		8:00		8:00		8:00	
8:30		8:30		8:30		8:30	
9:00		9:00		9:00		9:00	
9:30		9:30		9:30		9:30	
10:00		10:00		10:00		10:00	
10:30		10:30		10:30		10:30	
11:00		11:00		11:00		11:00	
11:30		11:30		11:30		11:30	
	I MEET MY GOALS		BUILDING MY DREAMS		NO EXCUSES		I AM AN AUTHOR
12:00		12:00		12:00		12:00	
12:30		12:30		12:30		12:30	
1:00		1:00		1:00		1:00	
1:30		1:30		1:30		1:30	
2:00		2:00		2:00		2:00	
2:30		2:30		2:30		2:30	
3:00		3:00		3:00		3:00	
3:30		3:30		3:30		3:30	
4:00		4:00		4:00		4:00	
4:30		4:30		4:30		4:30	
5:00		5:00		5:00		5:00	
5:30		5:30		5:30		5:30	
6:00		6:00		6:00		6:00	
6:30		6:30		6:30		6:30	
7:00		7:00		7:00		7:00	
7:30		7:30		7:30		7:30	
8:00		8:00		8:00		8:00	

WRITING PROGRESS	WRITING PROGRESS	WRITING PROGRESS	WRITING PROGRESS

LOOKING AHEAD

Monthly Overview

How did my writing go this month?

Did I meet my writing and personal goals? Why or why not?

Am I happy with how I spent my time?
If not, what changes will I make?

What did I learn this month that proved helpful?

What was my biggest time/ energy waster this month?
How can I eliminate it?

What have I been procrastinating on?

FIND A PLACE TO SCHEDULE IT NEXT MONTH

What goals do I want to meet next month?

May

MONDAY	TUESDAY	WEDNESDAY
27	28	29
4	5	6
11	12	13
18	19	20
25	26	27

This Month's Focus

Personal Projects

Writing Projects

Other

Social Media Goals

THURSDAY	FRIDAY	SATURDAY	SUNDAY
30	1	2	3
7	8	9	10
14	15	16	17
21	22	23	24
28	29	30	31

 Sales / Releases / Queries

May

Week Of

May 4 — 10

*"Less procrastinating,
more WRITING!"*
—Demi Stevens

PRIORITY GOALS

TO DO

DREAM GOALS

	4 MONDAY	5 TUESDAY	6 WEDNESDAY
	INTENTIONS	INTENTIONS	INTENTIONS
6:00		6:00	6:00
6:30		6:30	6:30
7:00		7:00	7:00
7:30		7:30	7:30
8:00		8:00	8:00
8:30		8:30	8:30
9:00		9:00	9:00
9:30		9:30	9:30
10:00		10:00	10:00
10:30		10:30	10:30
11:00		11:00	11:00
11:30		11:30	11:30
	I AM CREATIVE	MY WORDS MATTER	LIFE IS GOOD
12:00		12:00	12:00
12:30		12:30	12:30
1:00		1:00	1:00
1:30		1:30	1:30
2:00		2:00	2:00
2:30		2:30	2:30
3:00		3:00	3:00
3:30		3:30	3:30
4:00		4:00	4:00
4:30		4:30	4:30
5:00		5:00	5:00
5:30		5:30	5:30
6:00		6:00	6:00
6:30		6:30	6:30
7:00		7:00	7:00
7:30		7:30	7:30
8:00		8:00	8:00
WRITING PROGRESS		WRITING PROGRESS	WRITING PROGRESS
GRATITUDES			

	7		8		9		10
	THURSDAY		**FRIDAY**		**SATURDAY**		**SUNDAY**
	INTENTIONS		INTENTIONS		INTENTIONS		INTENTIONS
6:00		6:00		6:00		6:00	
6:30		6:30		6:30		6:30	
7:00		7:00		7:00		7:00	
7:30		7:30		7:30		7:30	
8:00		8:00		8:00		8:00	
8:30		8:30		8:30		8:30	
9:00		9:00		9:00		9:00	
9:30		9:30		9:30		9:30	
10:00		10:00		10:00		10:00	
10:30		10:30		10:30		10:30	
11:00		11:00		11:00		11:00	
11:30		11:30		11:30		11:30	
	I MEET MY GOALS		**BUILDING MY DREAMS**		**NO EXCUSES**		**I AM AN AUTHOR**
12:00		12:00		12:00		12:00	
12:30		12:30		12:30		12:30	
1:00		1:00		1:00		1:00	
1:30		1:30		1:30		1:30	
2:00		2:00		2:00		2:00	
2:30		2:30		2:30		2:30	
3:00		3:00		3:00		3:00	
3:30		3:30		3:30		3:30	
4:00		4:00		4:00		4:00	
4:30		4:30		4:30		4:30	
5:00		5:00		5:00		5:00	
5:30		5:30		5:30		5:30	
6:00		6:00		6:00		6:00	
6:30		6:30		6:30		6:30	
7:00		7:00		7:00		7:00	
7:30		7:30		7:30		7:30	
8:00		8:00		8:00		8:00	
	WRITING PROGRESS		WRITING PROGRESS		WRITING PROGRESS		WRITING PROGRESS

LOOKING AHEAD

May

May 11 — 17

*"We cannot
solve problems
with the
same thinking
we used when
we created them."*
—*Albert Einstein*

PRIORITY GOALS

TO DO

DREAM GOALS

	11 MONDAY		12 TUESDAY		13 WEDNESDAY
	INTENTIONS		**INTENTIONS**		**INTENTIONS**
6:00		6:00		6:00	
6:30		6:30		6:30	
7:00		7:00		7:00	
7:30		7:30		7:30	
8:00		8:00		8:00	
8:30		8:30		8:30	
9:00		9:00		9:00	
9:30		9:30		9:30	
10:00		10:00		10:00	
10:30		10:30		10:30	
11:00		11:00		11:00	
11:30		11:30		11:30	
	I AM CREATIVE		**MY WORDS MATTER**		**LIFE IS GOOD**
12:00		12:00		12:00	
12:30		12:30		12:30	
1:00		1:00		1:00	
1:30		1:30		1:30	
2:00		2:00		2:00	
2:30		2:30		2:30	
3:00		3:00		3:00	
3:30		3:30		3:30	
4:00		4:00		4:00	
4:30		4:30		4:30	
5:00		5:00		5:00	
5:30		5:30		5:30	
6:00		6:00		6:00	
6:30		6:30		6:30	
7:00		7:00		7:00	
7:30		7:30		7:30	
8:00		8:00		8:00	
WRITING PROGRESS		**WRITING PROGRESS**		**WRITING PROGRESS**	

GRATITUDES

	14		15		16		17
	THURSDAY		**FRIDAY**		**SATURDAY**		**SUNDAY**
INTENTIONS		INTENTIONS		INTENTIONS		INTENTIONS	
6:00		6:00		6:00		6:00	
6:30		6:30		6:30		6:30	
7:00		7:00		7:00		7:00	
7:30		7:30		7:30		7:30	
8:00		8:00		8:00		8:00	
8:30		8:30		8:30		8:30	
9:00		9:00		9:00		9:00	
9:30		9:30		9:30		9:30	
10:00		10:00		10:00		10:00	
10:30		10:30		10:30		10:30	
11:00		11:00		11:00		11:00	
11:30		11:30		11:30		11:30	
	I MEET MY GOALS		BUILDING MY DREAMS		NO EXCUSES		I AM AN AUTHOR
12:00		12:00		12:00		12:00	
12:30		12:30		12:30		12:30	
1:00		1:00		1:00		1:00	
1:30		1:30		1:30		1:30	
2:00		2:00		2:00		2:00	
2:30		2:30		2:30		2:30	
3:00		3:00		3:00		3:00	
3:30		3:30		3:30		3:30	
4:00		4:00		4:00		4:00	
4:30		4:30		4:30		4:30	
5:00		5:00		5:00		5:00	
5:30		5:30		5:30		5:30	
6:00		6:00		6:00		6:00	
6:30		6:30		6:30		6:30	
7:00		7:00		7:00		7:00	
7:30		7:30		7:30		7:30	
8:00		8:00		8:00		8:00	
WRITING PROGRESS		WRITING PROGRESS		WRITING PROGRESS		WRITING PROGRESS	

LOOKING AHEAD

May

Week Of

May 18 — 24

"Either write some-thing worth reading or do something worth writing."
—Benjamin Franklin

PRIORITY GOALS

TO DO

DREAM GOALS

	18 MONDAY	**19** TUESDAY	**20** WEDNESDAY
	INTENTIONS	INTENTIONS	INTENTIONS
6:00		6:00	6:00
6:30		6:30	6:30
7:00		7:00	7:00
7:30		7:30	7:30
8:00		8:00	8:00
8:30		8:30	8:30
9:00		9:00	9:00
9:30		9:30	9:30
10:00		10:00	10:00
10:30		10:30	10:30
11:00		11:00	11:00
11:30		11:30	11:30
	I AM CREATIVE	**MY WORDS MATTER**	**LIFE IS GOOD**
12:00		12:00	12:00
12:30		12:30	12:30
1:00		1:00	1:00
1:30		1:30	1:30
2:00		2:00	2:00
2:30		2:30	2:30
3:00		3:00	3:00
3:30		3:30	3:30
4:00		4:00	4:00
4:30		4:30	4:30
5:00		5:00	5:00
5:30		5:30	5:30
6:00		6:00	6:00
6:30		6:30	6:30
7:00		7:00	7:00
7:30		7:30	7:30
8:00		8:00	8:00
WRITING PROGRESS		WRITING PROGRESS	WRITING PROGRESS
GRATITUDES			

	21		22		23		24
	THURSDAY		FRIDAY		SATURDAY		SUNDAY
INTENTIONS		INTENTIONS		INTENTIONS		INTENTIONS	
6:00		6:00		6:00		6:00	
6:30		6:30		6:30		6:30	
7:00		7:00		7:00		7:00	
7:30		7:30		7:30		7:30	
8:00		8:00		8:00		8:00	
8:30		8:30		8:30		8:30	
9:00		9:00		9:00		9:00	
9:30		9:30		9:30		9:30	
10:00		10:00		10:00		10:00	
10:30		10:30		10:30		10:30	
11:00		11:00		11:00		11:00	
11:30		11:30		11:30		11:30	
	I MEET MY GOALS		BUILDING MY DREAMS		NO EXCUSES		I AM AN AUTHOR
12:00		12:00		12:00		12:00	
12:30		12:30		12:30		12:30	
1:00		1:00		1:00		1:00	
1:30		1:30		1:30		1:30	
2:00		2:00		2:00		2:00	
2:30		2:30		2:30		2:30	
3:00		3:00		3:00		3:00	
3:30		3:30		3:30		3:30	
4:00		4:00		4:00		4:00	
4:30		4:30		4:30		4:30	
5:00		5:00		5:00		5:00	
5:30		5:30		5:30		5:30	
6:00		6:00		6:00		6:00	
6:30		6:30		6:30		6:30	
7:00		7:00		7:00		7:00	
7:30		7:30		7:30		7:30	
8:00		8:00		8:00		8:00	
WRITING PROGRESS		WRITING PROGRESS		WRITING PROGRESS		WRITING PROGRESS	

LOOKING AHEAD

May

Week Of

May 25 – 31

"If I waited for perfection, I would never write a word."
—Margaret Atwood

PRIORITY GOALS

TO DO

DREAM GOALS

	25 MONDAY	26 TUESDAY	27 WEDNESDAY
	INTENTIONS	INTENTIONS	INTENTIONS
6:00		6:00	6:00
6:30		6:30	6:30
7:00		7:00	7:00
7:30		7:30	7:30
8:00		8:00	8:00
8:30		8:30	8:30
9:00		9:00	9:00
9:30		9:30	9:30
10:00		10:00	10:00
10:30		10:30	10:30
11:00		11:00	11:00
11:30		11:30	11:30
	I AM CREATIVE	MY WORDS MATTER	LIFE IS GOOD
12:00		12:00	12:00
12:30		12:30	12:30
1:00		1:00	1:00
1:30		1:30	1:30
2:00		2:00	2:00
2:30		2:30	2:30
3:00		3:00	3:00
3:30		3:30	3:30
4:00		4:00	4:00
4:30		4:30	4:30
5:00		5:00	5:00
5:30		5:30	5:30
6:00		6:00	6:00
6:30		6:30	6:30
7:00		7:00	7:00
7:30		7:30	7:30
8:00		8:00	8:00
	WRITING PROGRESS	WRITING PROGRESS	WRITING PROGRESS

GRATITUDES

	28		29		30		31
	THURSDAY		**FRIDAY**		**SATURDAY**		**SUNDAY**
INTENTIONS		INTENTIONS		INTENTIONS		INTENTIONS	
6:00		6:00		6:00		6:00	
6:30		6:30		6:30		6:30	
7:00		7:00		7:00		7:00	
7:30		7:30		7:30		7:30	
8:00		8:00		8:00		8:00	
8:30		8:30		8:30		8:30	
9:00		9:00		9:00		9:00	
9:30		9:30		9:30		9:30	
10:00		10:00		10:00		10:00	
10:30		10:30		10:30		10:30	
11:00		11:00		11:00		11:00	
11:30		11:30		11:30		11:30	
	I MEET MY GOALS		BUILDING MY DREAMS		NO EXCUSES		I AM AN AUTHOR
12:00		12:00		12:00		12:00	
12:30		12:30		12:30		12:30	
1:00		1:00		1:00		1:00	
1:30		1:30		1:30		1:30	
2:00		2:00		2:00		2:00	
2:30		2:30		2:30		2:30	
3:00		3:00		3:00		3:00	
3:30		3:30		3:30		3:30	
4:00		4:00		4:00		4:00	
4:30		4:30		4:30		4:30	
5:00		5:00		5:00		5:00	
5:30		5:30		5:30		5:30	
6:00		6:00		6:00		6:00	
6:30		6:30		6:30		6:30	
7:00		7:00		7:00		7:00	
7:30		7:30		7:30		7:30	
8:00		8:00		8:00		8:00	
WRITING PROGRESS		WRITING PROGRESS		WRITING PROGRESS		WRITING PROGRESS	

LOOKING AHEAD

Monthly Overview

How did my writing go this month?

Did I meet my writing and personal goals? Why or why not?

Am I happy with how I spent my time?
If not, what changes will I make?

What did I learn this month that proved helpful?

**What was my biggest time/ energy waster this month?
How can I eliminate it?**

What have I been procrastinating on?

FIND A PLACE TO SCHEDULE IT NEXT MONTH

What goals do I want to meet next month?

June

MONDAY	TUESDAY	WEDNESDAY
1	2	3
8	9	10
15	16	17
22	23	24
29	30	1

This Month's Focus

Personal Projects

Writing Projects

Other

Social Media Goals

THURSDAY	FRIDAY	SATURDAY	SUNDAY
4	5	6	7
11	12	13	14
18	19	20	21
25	26	27	28
2	3	4	5

Sales / Releases / Queries

June

Week Of

June 1 — 7

If you wait for inspiration to write, you're not a writer, you're a waiter."
—Dan Poynter

PRIORITY GOALS

TO DO

DREAM GOALS

	1 **MONDAY**	**2** **TUESDAY**	**3** **WEDNESDAY**
	INTENTIONS	INTENTIONS	INTENTIONS
	6:00	6:00	6:00
	6:30	6:30	6:30
	7:00	7:00	7:00
	7:30	7:30	7:30
	8:00	8:00	8:00
	8:30	8:30	8:30
	9:00	9:00	9:00
	9:30	9:30	9:30
	10:00	10:00	10:00
	10:30	10:30	10:30
	11:00	11:00	11:00
	11:30	11:30	11:30
	I AM CREATIVE	**MY WORDS MATTER**	**LIFE IS GOOD**
	12:00	12:00	12:00
	12:30	12:30	12:30
	1:00	1:00	1:00
	1:30	1:30	1:30
	2:00	2:00	2:00
	2:30	2:30	2:30
	3:00	3:00	3:00
	3:30	3:30	3:30
	4:00	4:00	4:00
	4:30	4:30	4:30
	5:00	5:00	5:00
	5:30	5:30	5:30
	6:00	6:00	6:00
	6:30	6:30	6:30
	7:00	7:00	7:00
	7:30	7:30	7:30
	8:00	8:00	8:00
	WRITING PROGRESS	WRITING PROGRESS	WRITING PROGRESS

GRATITUDES

	4		5		6		7
	THURSDAY		FRIDAY		SATURDAY		SUNDAY
INTENTIONS		**INTENTIONS**		**INTENTIONS**		**INTENTIONS**	

6:00		6:00		6:00		6:00	
6:30		6:30		6:30		6:30	
7:00		7:00		7:00		7:00	
7:30		7:30		7:30		7:30	
8:00		8:00		8:00		8:00	
8:30		8:30		8:30		8:30	
9:00		9:00		9:00		9:00	
9:30		9:30		9:30		9:30	
10:00		10:00		10:00		10:00	
10:30		10:30		10:30		10:30	
11:00		11:00		11:00		11:00	
11:30		11:30		11:30		11:30	

	I MEET MY GOALS		BUILDING MY DREAMS		NO EXCUSES		I AM AN AUTHOR
12:00		12:00		12:00		12:00	
12:30		12:30		12:30		12:30	
1:00		1:00		1:00		1:00	
1:30		1:30		1:30		1:30	
2:00		2:00		2:00		2:00	
2:30		2:30		2:30		2:30	
3:00		3:00		3:00		3:00	
3:30		3:30		3:30		3:30	
4:00		4:00		4:00		4:00	
4:30		4:30		4:30		4:30	
5:00		5:00		5:00		5:00	
5:30		5:30		5:30		5:30	
6:00		6:00		6:00		6:00	
6:30		6:30		6:30		6:30	
7:00		7:00		7:00		7:00	
7:30		7:30		7:30		7:30	
8:00		8:00		8:00		8:00	

WRITING PROGRESS		**WRITING PROGRESS**		**WRITING PROGRESS**		**WRITING PROGRESS**	

LOOKING AHEAD

June

Week Of

June 8 – 14

"We need to do a better job of putting ourselves higher on our own 'to-do' list."
—Michelle Obama

PRIORITY GOALS

TO DO

DREAM GOALS

	8 MONDAY	9 TUESDAY	10 WEDNESDAY
	INTENTIONS	INTENTIONS	INTENTIONS
6:00		6:00	6:00
6:30		6:30	6:30
7:00		7:00	7:00
7:30		7:30	7:30
8:00		8:00	8:00
8:30		8:30	8:30
9:00		9:00	9:00
9:30		9:30	9:30
10:00		10:00	10:00
10:30		10:30	10:30
11:00		11:00	11:00
11:30		11:30	11:30
	I AM CREATIVE	MY WORDS MATTER	LIFE IS GOOD
12:00		12:00	12:00
12:30		12:30	12:30
1:00		1:00	1:00
1:30		1:30	1:30
2:00		2:00	2:00
2:30		2:30	2:30
3:00		3:00	3:00
3:30		3:30	3:30
4:00		4:00	4:00
4:30		4:30	4:30
5:00		5:00	5:00
5:30		5:30	5:30
6:00		6:00	6:00
6:30		6:30	6:30
7:00		7:00	7:00
7:30		7:30	7:30
8:00		8:00	8:00
WRITING PROGRESS		WRITING PROGRESS	WRITING PROGRESS

GRATITUDES

11	12	13	14
THURSDAY	FRIDAY	SATURDAY	SUNDAY
INTENTIONS	INTENTIONS	INTENTIONS	INTENTIONS
6:00	6:00	6:00	6:00
6:30	6:30	6:30	6:30
7:00	7:00	7:00	7:00
7:30	7:30	7:30	7:30
8:00	8:00	8:00	8:00
8:30	8:30	8:30	8:30
9:00	9:00	9:00	9:00
9:30	9:30	9:30	9:30
10:00	10:00	10:00	10:00
10:30	10:30	10:30	10:30
11:00	11:00	11:00	11:00
11:30	11:30	11:30	11:30
I MEET MY GOALS	BUILDING MY DREAMS	NO EXCUSES	I AM AN AUTHOR
12:00	12:00	12:00	12:00
12:30	12:30	12:30	12:30
1:00	1:00	1:00	1:00
1:30	1:30	1:30	1:30
2:00	2:00	2:00	2:00
2:30	2:30	2:30	2:30
3:00	3:00	3:00	3:00
3:30	3:30	3:30	3:30
4:00	4:00	4:00	4:00
4:30	4:30	4:30	4:30
5:00	5:00	5:00	5:00
5:30	5:30	5:30	5:30
6:00	6:00	6:00	6:00
6:30	6:30	6:30	6:30
7:00	7:00	7:00	7:00
7:30	7:30	7:30	7:30
8:00	8:00	8:00	8:00
WRITING PROGRESS	WRITING PROGRESS	WRITING PROGRESS	WRITING PROGRESS

LOOKING AHEAD

June

Week Of

Jun 15 – 21

*"Your journey
is a book
waiting
to be written."
—Demi Stevens*

PRIORITY GOALS

TO DO

DREAM GOALS

	15 MONDAY	16 TUESDAY	17 WEDNESDAY
	INTENTIONS	INTENTIONS	INTENTIONS
6:00		6:00		6:00	
6:30		6:30		6:30	
7:00		7:00		7:00	
7:30		7:30		7:30	
8:00		8:00		8:00	
8:30		8:30		8:30	
9:00		9:00		9:00	
9:30		9:30		9:30	
10:00		10:00		10:00	
10:30		10:30		10:30	
11:00		11:00		11:00	
11:30		11:30		11:30	
	I AM CREATIVE		MY WORDS MATTER		LIFE IS GOOD
12:00		12:00		12:00	
12:30		12:30		12:30	
1:00		1:00		1:00	
1:30		1:30		1:30	
2:00		2:00		2:00	
2:30		2:30		2:30	
3:00		3:00		3:00	
3:30		3:30		3:30	
4:00		4:00		4:00	
4:30		4:30		4:30	
5:00		5:00		5:00	
5:30		5:30		5:30	
6:00		6:00		6:00	
6:30		6:30		6:30	
7:00		7:00		7:00	
7:30		7:30		7:30	
8:00		8:00		8:00	

WRITING PROGRESS | **WRITING PROGRESS** | **WRITING PROGRESS**

GRATITUDES

18		19		20		21	
THURSDAY		**FRIDAY**		**SATURDAY**		**SUNDAY**	
INTENTIONS		INTENTIONS		INTENTIONS		INTENTIONS	
6:00		6:00		6:00		6:00	
6:30		6:30		6:30		6:30	
7:00		7:00		7:00		7:00	
7:30		7:30		7:30		7:30	
8:00		8:00		8:00		8:00	
8:30		8:30		8:30		8:30	
9:00		9:00		9:00		9:00	
9:30		9:30		9:30		9:30	
10:00		10:00		10:00		10:00	
10:30		10:30		10:30		10:30	
11:00		11:00		11:00		11:00	
11:30		11:30		11:30		11:30	
	I MEET MY GOALS		BUILDING MY DREAMS		NO EXCUSES		I AM AN AUTHOR
12:00		12:00		12:00		12:00	
12:30		12:30		12:30		12:30	
1:00		1:00		1:00		1:00	
1:30		1:30		1:30		1:30	
2:00		2:00		2:00		2:00	
2:30		2:30		2:30		2:30	
3:00		3:00		3:00		3:00	
3:30		3:30		3:30		3:30	
4:00		4:00		4:00		4:00	
4:30		4:30		4:30		4:30	
5:00		5:00		5:00		5:00	
5:30		5:30		5:30		5:30	
6:00		6:00		6:00		6:00	
6:30		6:30		6:30		6:30	
7:00		7:00		7:00		7:00	
7:30		7:30		7:30		7:30	
8:00		8:00		8:00		8:00	
WRITING PROGRESS		WRITING PROGRESS		WRITING PROGRESS		WRITING PROGRESS	

LOOKING AHEAD

 JUNE

Week Of

Jun 22 – 28

"We are what we
repeatedly do.
Excellence, therefore,
is not an act,
but a habit."
—Aristotle

PRIORITY GOALS

TO DO

DREAM GOALS

	22 MONDAY		23 TUESDAY		24 WEDNESDAY
INTENTIONS		INTENTIONS		INTENTIONS	
6:00		6:00		6:00	
6:30		6:30		6:30	
7:00		7:00		7:00	
7:30		7:30		7:30	
8:00		8:00		8:00	
8:30		8:30		8:30	
9:00		9:00		9:00	
9:30		9:30		9:30	
10:00		10:00		10:00	
10:30		10:30		10:30	
11:00		11:00		11:00	
11:30		11:30		11:30	
	I AM CREATIVE		MY WORDS MATTER		LIFE IS GOOD
12:00		12:00		12:00	
12:30		12:30		12:30	
1:00		1:00		1:00	
1:30		1:30		1:30	
2:00		2:00		2:00	
2:30		2:30		2:30	
3:00		3:00		3:00	
3:30		3:30		3:30	
4:00		4:00		4:00	
4:30		4:30		4:30	
5:00		5:00		5:00	
5:30		5:30		5:30	
6:00		6:00		6:00	
6:30		6:30		6:30	
7:00		7:00		7:00	
7:30		7:30		7:30	
8:00		8:00		8:00	
WRITING PROGRESS		WRITING PROGRESS		WRITING PROGRESS	

GRATITUDES

	25		26		27		28
	THURSDAY		FRIDAY		SATURDAY		SUNDAY
INTENTIONS		INTENTIONS		INTENTIONS		INTENTIONS	
6:00		6:00		6:00		6:00	
6:30		6:30		6:30		6:30	
7:00		7:00		7:00		7:00	
7:30		7:30		7:30		7:30	
8:00		8:00		8:00		8:00	
8:30		8:30		8:30		8:30	
9:00		9:00		9:00		9:00	
9:30		9:30		9:30		9:30	
10:00		10:00		10:00		10:00	
10:30		10:30		10:30		10:30	
11:00		11:00		11:00		11:00	
11:30		11:30		11:30		11:30	
	I MEET MY GOALS		BUILDING MY DREAMS		NO EXCUSES		I AM AN AUTHOR
12:00		12:00		12:00		12:00	
12:30		12:30		12:30		12:30	
1:00		1:00		1:00		1:00	
1:30		1:30		1:30		1:30	
2:00		2:00		2:00		2:00	
2:30		2:30		2:30		2:30	
3:00		3:00		3:00		3:00	
3:30		3:30		3:30		3:30	
4:00		4:00		4:00		4:00	
4:30		4:30		4:30		4:30	
5:00		5:00		5:00		5:00	
5:30		5:30		5:30		5:30	
6:00		6:00		6:00		6:00	
6:30		6:30		6:30		6:30	
7:00		7:00		7:00		7:00	
7:30		7:30		7:30		7:30	
8:00		8:00		8:00		8:00	
WRITING PROGRESS		WRITING PROGRESS		WRITING PROGRESS		WRITING PROGRESS	

LOOKING AHEAD

Quarterly Overview

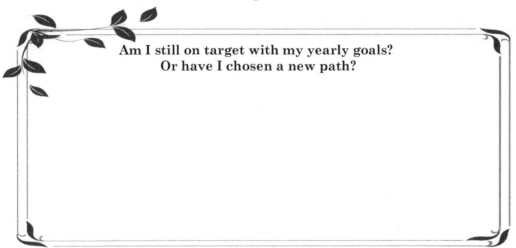

Am I still on target with my yearly goals?
Or have I chosen a new path?

What interfered with my progress?

What can I do next quarter to eliminate these obstacles?

What do I need to let go of this coming quarter?

What happened this quarter that I need to reframe positively?

How do my work and activities reflect the yearly word I chose?

What do I hope to accomplish next quarter?

July

This Month's Focus

Personal Projects

Writing Projects

Other

MONDAY	TUESDAY	WEDNESDAY
29	30	1
6	7	8
13	14	15
20	21	22
27	28	29

Social Media Goals

THURSDAY	FRIDAY	SATURDAY	SUNDAY
2	3	4	5
9	10	11	12
16	17	18	19
23	24	25	26
30	31	1	2

 Sales / Releases / Queries

July

*"Great writers aren't
great first drafters.
They're great
rewriters."
—Andrew Bennett*

PRIORITY GOALS

TO DO

DREAM GOALS

	29 MONDAY		30 TUESDAY		1 WEDNESDAY
INTENTIONS		**INTENTIONS**		**INTENTIONS**	
6:00		6:00		6:00	
6:30		6:30		6:30	
7:00		7:00		7:00	
7:30		7:30		7:30	
8:00		8:00		8:00	
8:30		8:30		8:30	
9:00		9:00		9:00	
9:30		9:30		9:30	
10:00		10:00		10:00	
10:30		10:30		10:30	
11:00		11:00		11:00	
11:30		11:30		11:30	
	I AM CREATIVE		**MY WORDS MATTER**		**LIFE IS GOOD**
12:00		12:00		12:00	
12:30		12:30		12:30	
1:00		1:00		1:00	
1:30		1:30		1:30	
2:00		2:00		2:00	
2:30		2:30		2:30	
3:00		3:00		3:00	
3:30		3:30		3:30	
4:00		4:00		4:00	
4:30		4:30		4:30	
5:00		5:00		5:00	
5:30		5:30		5:30	
6:00		6:00		6:00	
6:30		6:30		6:30	
7:00		7:00		7:00	
7:30		7:30		7:30	
8:00		8:00		8:00	
WRITING PROGRESS		**WRITING PROGRESS**		**WRITING PROGRESS**	

GRATITUDES

	2		3		4		5
	THURSDAY		**FRIDAY**		**SATURDAY**		**SUNDAY**
INTENTIONS		INTENTIONS		INTENTIONS		INTENTIONS	
6:00		6:00		6:00		6:00	
6:30		6:30		6:30		6:30	
7:00		7:00		7:00		7:00	
7:30		7:30		7:30		7:30	
8:00		8:00		8:00		8:00	
8:30		8:30		8:30		8:30	
9:00		9:00		9:00		9:00	
9:30		9:30		9:30		9:30	
10:00		10:00		10:00		10:00	
10:30		10:30		10:30		10:30	
11:00		11:00		11:00		11:00	
11:30		11:30		11:30		11:30	
	I MEET MY GOALS		BUILDING MY DREAMS		NO EXCUSES		I AM AN AUTHOR
12:00		12:00		12:00		12:00	
12:30		12:30		12:30		12:30	
1:00		1:00		1:00		1:00	
1:30		1:30		1:30		1:30	
2:00		2:00		2:00		2:00	
2:30		2:30		2:30		2:30	
3:00		3:00		3:00		3:00	
3:30		3:30		3:30		3:30	
4:00		4:00		4:00		4:00	
4:30		4:30		4:30		4:30	
5:00		5:00		5:00		5:00	
5:30		5:30		5:30		5:30	
6:00		6:00		6:00		6:00	
6:30		6:30		6:30		6:30	
7:00		7:00		7:00		7:00	
7:30		7:30		7:30		7:30	
8:00		8:00		8:00		8:00	
WRITING PROGRESS		WRITING PROGRESS		WRITING PROGRESS		WRITING PROGRESS	

LOOKING AHEAD

July

*"Better three hours
too soon than
a minute too late."*
—*William Shakespeare*

PRIORITY GOALS

TO DO

DREAM GOALS

	6	7	8
	MONDAY	**TUESDAY**	**WEDNESDAY**
	INTENTIONS	INTENTIONS	INTENTIONS
6:00		6:00		6:00	
6:30		6:30		6:30	
7:00		7:00		7:00	
7:30		7:30		7:30	
8:00		8:00		8:00	
8:30		8:30		8:30	
9:00		9:00		9:00	
9:30		9:30		9:30	
10:00		10:00		10:00	
10:30		10:30		10:30	
11:00		11:00		11:00	
11:30		11:30		11:30	
	I AM CREATIVE		**MY WORDS MATTER**		**LIFE IS GOOD**
12:00		12:00		12:00	
12:30		12:30		12:30	
1:00		1:00		1:00	
1:30		1:30		1:30	
2:00		2:00		2:00	
2:30		2:30		2:30	
3:00		3:00		3:00	
3:30		3:30		3:30	
4:00		4:00		4:00	
4:30		4:30		4:30	
5:00		5:00		5:00	
5:30		5:30		5:30	
6:00		6:00		6:00	
6:30		6:30		6:30	
7:00		7:00		7:00	
7:30		7:30		7:30	
8:00		8:00		8:00	
WRITING PROGRESS	WRITING PROGRESS	WRITING PROGRESS

GRATITUDES

9	10	11	12
THURSDAY	**FRIDAY**	**SATURDAY**	**SUNDAY**
INTENTIONS	INTENTIONS	INTENTIONS	INTENTIONS
6:00	6:00	6:00	6:00
6:30	6:30	6:30	6:30
7:00	7:00	7:00	7:00
7:30	7:30	7:30	7:30
8:00	8:00	8:00	8:00
8:30	8:30	8:30	8:30
9:00	9:00	9:00	9:00
9:30	9:30	9:30	9:30
10:00	10:00	10:00	10:00
10:30	10:30	10:30	10:30
11:00	11:00	11:00	11:00
11:30	11:30	11:30	11:30
I MEET MY GOALS	BUILDING MY DREAMS	NO EXCUSES	I AM AN AUTHOR
12:00	12:00	12:00	12:00
12:30	12:30	12:30	12:30
1:00	1:00	1:00	1:00
1:30	1:30	1:30	1:30
2:00	2:00	2:00	2:00
2:30	2:30	2:30	2:30
3:00	3:00	3:00	3:00
3:30	3:30	3:30	3:30
4:00	4:00	4:00	4:00
4:30	4:30	4:30	4:30
5:00	5:00	5:00	5:00
5:30	5:30	5:30	5:30
6:00	6:00	6:00	6:00
6:30	6:30	6:30	6:30
7:00	7:00	7:00	7:00
7:30	7:30	7:30	7:30
8:00	8:00	8:00	8:00
WRITING PROGRESS	WRITING PROGRESS	WRITING PROGRESS	WRITING PROGRESS

LOOKING AHEAD

July

Week Of
Jul 13 – 19

*Three paragraphs
a day
keeps the
writer's block
away.*

PRIORITY GOALS

_____
_____
_____

TO DO

_____
_____
_____
_____
_____
_____
_____
_____
_____
_____
_____
_____

DREAM GOALS

	13 **MONDAY**		14 **TUESDAY**		15 **WEDNESDAY**
INTENTIONS		INTENTIONS		INTENTIONS	
6:00		6:00		6:00	
6:30		6:30		6:30	
7:00		7:00		7:00	
7:30		7:30		7:30	
8:00		8:00		8:00	
8:30		8:30		8:30	
9:00		9:00		9:00	
9:30		9:30		9:30	
10:00		10:00		10:00	
10:30		10:30		10:30	
11:00		11:00		11:00	
11:30		11:30		11:30	
	I AM CREATIVE		**MY WORDS MATTER**		**LIFE IS GOOD**
12:00		12:00		12:00	
12:30		12:30		12:30	
1:00		1:00		1:00	
1:30		1:30		1:30	
2:00		2:00		2:00	
2:30		2:30		2:30	
3:00		3:00		3:00	
3:30		3:30		3:30	
4:00		4:00		4:00	
4:30		4:30		4:30	
5:00		5:00		5:00	
5:30		5:30		5:30	
6:00		6:00		6:00	
6:30		6:30		6:30	
7:00		7:00		7:00	
7:30		7:30		7:30	
8:00		8:00		8:00	
WRITING PROGRESS		WRITING PROGRESS		WRITING PROGRESS	
GRATITUDES					

16	17	18	19
THURSDAY	**FRIDAY**	**SATURDAY**	**SUNDAY**
INTENTIONS	INTENTIONS	INTENTIONS	INTENTIONS

THURSDAY	FRIDAY	SATURDAY	SUNDAY
6:00	6:00	6:00	6:00
6:30	6:30	6:30	6:30
7:00	7:00	7:00	7:00
7:30	7:30	7:30	7:30
8:00	8:00	8:00	8:00
8:30	8:30	8:30	8:30
9:00	9:00	9:00	9:00
9:30	9:30	9:30	9:30
10:00	10:00	10:00	10:00
10:30	10:30	10:30	10:30
11:00	11:00	11:00	11:00
11:30	11:30	11:30	11:30
I MEET MY GOALS	**BUILDING MY DREAMS**	**NO EXCUSES**	**I AM AN AUTHOR**
12:00	12:00	12:00	12:00
12:30	12:30	12:30	12:30
1:00	1:00	1:00	1:00
1:30	1:30	1:30	1:30
2:00	2:00	2:00	2:00
2:30	2:30	2:30	2:30
3:00	3:00	3:00	3:00
3:30	3:30	3:30	3:30
4:00	4:00	4:00	4:00
4:30	4:30	4:30	4:30
5:00	5:00	5:00	5:00
5:30	5:30	5:30	5:30
6:00	6:00	6:00	6:00
6:30	6:30	6:30	6:30
7:00	7:00	7:00	7:00
7:30	7:30	7:30	7:30
8:00	8:00	8:00	8:00
WRITING PROGRESS	WRITING PROGRESS	WRITING PROGRESS	WRITING PROGRESS

LOOKING AHEAD

July

Week Of

Jul 20 — 26

*You know all
these things you've
wanted to do?*

*You should go
DO them!*

PRIORITY GOALS

TO DO

DREAM GOALS

	20 MONDAY		21 TUESDAY		22 WEDNESDAY
	INTENTIONS		INTENTIONS		INTENTIONS
6:00		6:00		6:00	
6:30		6:30		6:30	
7:00		7:00		7:00	
7:30		7:30		7:30	
8:00		8:00		8:00	
8:30		8:30		8:30	
9:00		9:00		9:00	
9:30		9:30		9:30	
10:00		10:00		10:00	
10:30		10:30		10:30	
11:00		11:00		11:00	
11:30		11:30		11:30	
	I AM CREATIVE		MY WORDS MATTER		LIFE IS GOOD
12:00		12:00		12:00	
12:30		12:30		12:30	
1:00		1:00		1:00	
1:30		1:30		1:30	
2:00		2:00		2:00	
2:30		2:30		2:30	
3:00		3:00		3:00	
3:30		3:30		3:30	
4:00		4:00		4:00	
4:30		4:30		4:30	
5:00		5:00		5:00	
5:30		5:30		5:30	
6:00		6:00		6:00	
6:30		6:30		6:30	
7:00		7:00		7:00	
7:30		7:30		7:30	
8:00		8:00		8:00	
	WRITING PROGRESS		WRITING PROGRESS		WRITING PROGRESS

GRATITUDES

23		24		25		26	
THURSDAY		**FRIDAY**		**SATURDAY**		**SUNDAY**	
INTENTIONS		INTENTIONS		INTENTIONS		INTENTIONS	
6:00		6:00		6:00		6:00	
6:30		6:30		6:30		6:30	
7:00		7:00		7:00		7:00	
7:30		7:30		7:30		7:30	
8:00		8:00		8:00		8:00	
8:30		8:30		8:30		8:30	
9:00		9:00		9:00		9:00	
9:30		9:30		9:30		9:30	
10:00		10:00		10:00		10:00	
10:30		10:30		10:30		10:30	
11:00		11:00		11:00		11:00	
11:30		11:30		11:30		11:30	
	I MEET MY GOALS		BUILDING MY DREAMS		NO EXCUSES		I AM AN AUTHOR
12:00		12:00		12:00		12:00	
12:30		12:30		12:30		12:30	
1:00		1:00		1:00		1:00	
1:30		1:30		1:30		1:30	
2:00		2:00		2:00		2:00	
2:30		2:30		2:30		2:30	
3:00		3:00		3:00		3:00	
3:30		3:30		3:30		3:30	
4:00		4:00		4:00		4:00	
4:30		4:30		4:30		4:30	
5:00		5:00		5:00		5:00	
5:30		5:30		5:30		5:30	
6:00		6:00		6:00		6:00	
6:30		6:30		6:30		6:30	
7:00		7:00		7:00		7:00	
7:30		7:30		7:30		7:30	
8:00		8:00		8:00		8:00	
WRITING PROGRESS		WRITING PROGRESS		WRITING PROGRESS		WRITING PROGRESS	

LOOKING AHEAD

July

Week Of

Jul 27 — Aug 2

"Don't worry that someone will steal your stuff. Worry if no one tries to steal your stuff."
—Demi Stevens

PRIORITY GOALS

TO DO

DREAM GOALS

	27 MONDAY	28 TUESDAY	29 WEDNESDAY
	INTENTIONS	INTENTIONS	INTENTIONS
6:00		6:00	6:00
6:30		6:30	6:30
7:00		7:00	7:00
7:30		7:30	7:30
8:00		8:00	8:00
8:30		8:30	8:30
9:00		9:00	9:00
9:30		9:30	9:30
10:00		10:00	10:00
10:30		10:30	10:30
11:00		11:00	11:00
11:30		11:30	11:30
	I AM CREATIVE	MY WORDS MATTER	LIFE IS GOOD
12:00		12:00	12:00
12:30		12:30	12:30
1:00		1:00	1:00
1:30		1:30	1:30
2:00		2:00	2:00
2:30		2:30	2:30
3:00		3:00	3:00
3:30		3:30	3:30
4:00		4:00	4:00
4:30		4:30	4:30
5:00		5:00	5:00
5:30		5:30	5:30
6:00		6:00	6:00
6:30		6:30	6:30
7:00		7:00	7:00
7:30		7:30	7:30
8:00		8:00	8:00
	WRITING PROGRESS	WRITING PROGRESS	WRITING PROGRESS

GRATITUDES

	30 THURSDAY		31 FRIDAY		1 SATURDAY		2 SUNDAY
INTENTIONS		**INTENTIONS**		**INTENTIONS**		**INTENTIONS**	
6:00		6:00		6:00		6:00	
6:30		6:30		6:30		6:30	
7:00		7:00		7:00		7:00	
7:30		7:30		7:30		7:30	
8:00		8:00		8:00		8:00	
8:30		8:30		8:30		8:30	
9:00		9:00		9:00		9:00	
9:30		9:30		9:30		9:30	
10:00		10:00		10:00		10:00	
10:30		10:30		10:30		10:30	
11:00		11:00		11:00		11:00	
11:30		11:30		11:30		11:30	
	I MEET MY GOALS		BUILDING MY DREAMS		NO EXCUSES		I AM AN AUTHOR
12:00		12:00		12:00		12:00	
12:30		12:30		12:30		12:30	
1:00		1:00		1:00		1:00	
1:30		1:30		1:30		1:30	
2:00		2:00		2:00		2:00	
2:30		2:30		2:30		2:30	
3:00		3:00		3:00		3:00	
3:30		3:30		3:30		3:30	
4:00		4:00		4:00		4:00	
4:30		4:30		4:30		4:30	
5:00		5:00		5:00		5:00	
5:30		5:30		5:30		5:30	
6:00		6:00		6:00		6:00	
6:30		6:30		6:30		6:30	
7:00		7:00		7:00		7:00	
7:30		7:30		7:30		7:30	
8:00		8:00		8:00		8:00	
WRITING PROGRESS		**WRITING PROGRESS**		**WRITING PROGRESS**		**WRITING PROGRESS**	

LOOKING AHEAD

Monthly Overview

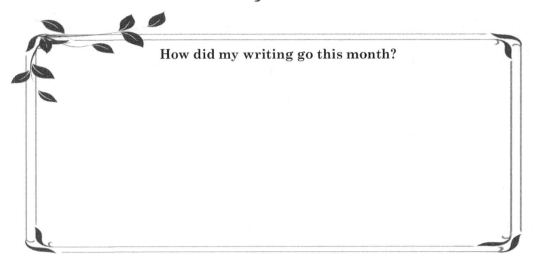

How did my writing go this month?

Did I meet my writing and personal goals? Why or why not?

Am I happy with how I spent my time?
If not, what changes will I make?

What did I learn this month that proved helpful?

What was my biggest time/ energy waster this month?
How can I eliminate it?

What have I been procrastinating on?

FIND A PLACE TO SCHEDULE IT NEXT MONTH

What goals do I want to meet next month?

August

MONDAY	TUESDAY	WEDNESDAY
27	28	29
3	4	5
10	11	12
17	18	19
24	25	26
31	1	2

This Month's Focus

Personal Projects

Writing Projects

Other

Social Media Goals

THURSDAY	FRIDAY	SATURDAY	SUNDAY
30	31	1	2
6	7	8	9
13	14	15	16
20	21	22	23
27	28	29	30
3	4	5	6

 Sales / Releases / Queries

August

Aug 3 — 9

"If you're not making mistakes, then you're not making decisions."
—Catherine Cook

PRIORITY GOALS

TO DO

DREAM GOALS

	3 MONDAY	4 TUESDAY	5 WEDNESDAY
	INTENTIONS	INTENTIONS	INTENTIONS
6:00		6:00	6:00
6:30		6:30	6:30
7:00		7:00	7:00
7:30		7:30	7:30
8:00		8:00	8:00
8:30		8:30	8:30
9:00		9:00	9:00
9:30		9:30	9:30
10:00		10:00	10:00
10:30		10:30	10:30
11:00		11:00	11:00
11:30		11:30	11:30
	I AM CREATIVE	MY WORDS MATTER	LIFE IS GOOD
12:00		12:00	12:00
12:30		12:30	12:30
1:00		1:00	1:00
1:30		1:30	1:30
2:00		2:00	2:00
2:30		2:30	2:30
3:00		3:00	3:00
3:30		3:30	3:30
4:00		4:00	4:00
4:30		4:30	4:30
5:00		5:00	5:00
5:30		5:30	5:30
6:00		6:00	6:00
6:30		6:30	6:30
7:00		7:00	7:00
7:30		7:30	7:30
8:00		8:00	8:00
WRITING PROGRESS		WRITING PROGRESS	WRITING PROGRESS

GRATITUDES

6	7	8	9
THURSDAY	**FRIDAY**	**SATURDAY**	**SUNDAY**
INTENTIONS	INTENTIONS	INTENTIONS	INTENTIONS

	THURSDAY		FRIDAY		SATURDAY		SUNDAY
6:00		6:00		6:00		6:00	
6:30		6:30		6:30		6:30	
7:00		7:00		7:00		7:00	
7:30		7:30		7:30		7:30	
8:00		8:00		8:00		8:00	
8:30		8:30		8:30		8:30	
9:00		9:00		9:00		9:00	
9:30		9:30		9:30		9:30	
10:00		10:00		10:00		10:00	
10:30		10:30		10:30		10:30	
11:00		11:00		11:00		11:00	
11:30		11:30		11:30		11:30	
	I MEET MY GOALS		BUILDING MY DREAMS		NO EXCUSES		I AM AN AUTHOR
12:00		12:00		12:00		12:00	
12:30		12:30		12:30		12:30	
1:00		1:00		1:00		1:00	
1:30		1:30		1:30		1:30	
2:00		2:00		2:00		2:00	
2:30		2:30		2:30		2:30	
3:00		3:00		3:00		3:00	
3:30		3:30		3:30		3:30	
4:00		4:00		4:00		4:00	
4:30		4:30		4:30		4:30	
5:00		5:00		5:00		5:00	
5:30		5:30		5:30		5:30	
6:00		6:00		6:00		6:00	
6:30		6:30		6:30		6:30	
7:00		7:00		7:00		7:00	
7:30		7:30		7:30		7:30	
8:00		8:00		8:00		8:00	
WRITING PROGRESS		WRITING PROGRESS		WRITING PROGRESS		WRITING PROGRESS	

LOOKING AHEAD

Week Of

Aug 10 — 16

*"Good fiction's job
is to comfort
the disturbed
and disturb
the comfortable."
—David Foster
Wallace*

PRIORITY GOALS

TO DO

DREAM GOALS

	10 MONDAY		11 TUESDAY		12 WEDNESDAY
	INTENTIONS		INTENTIONS		INTENTIONS
6:00		6:00		6:00	
6:30		6:30		6:30	
7:00		7:00		7:00	
7:30		7:30		7:30	
8:00		8:00		8:00	
8:30		8:30		8:30	
9:00		9:00		9:00	
9:30		9:30		9:30	
10:00		10:00		10:00	
10:30		10:30		10:30	
11:00		11:00		11:00	
11:30		11:30		11:30	
	I AM CREATIVE		MY WORDS MATTER		LIFE IS GOOD
12:00		12:00		12:00	
12:30		12:30		12:30	
1:00		1:00		1:00	
1:30		1:30		1:30	
2:00		2:00		2:00	
2:30		2:30		2:30	
3:00		3:00		3:00	
3:30		3:30		3:30	
4:00		4:00		4:00	
4:30		4:30		4:30	
5:00		5:00		5:00	
5:30		5:30		5:30	
6:00		6:00		6:00	
6:30		6:30		6:30	
7:00		7:00		7:00	
7:30		7:30		7:30	
8:00		8:00		8:00	
WRITING PROGRESS		WRITING PROGRESS		WRITING PROGRESS	

GRATITUDES

	13 THURSDAY		14 FRIDAY		15 SATURDAY		16 SUNDAY
	INTENTIONS		INTENTIONS		INTENTIONS		INTENTIONS
6:00		6:00		6:00		6:00	
6:30		6:30		6:30		6:30	
7:00		7:00		7:00		7:00	
7:30		7:30		7:30		7:30	
8:00		8:00		8:00		8:00	
8:30		8:30		8:30		8:30	
9:00		9:00		9:00		9:00	
9:30		9:30		9:30		9:30	
10:00		10:00		10:00		10:00	
10:30		10:30		10:30		10:30	
11:00		11:00		11:00		11:00	
11:30		11:30		11:30		11:30	
	I MEET MY GOALS		BUILDING MY DREAMS		NO EXCUSES		I AM AN AUTHOR
12:00		12:00		12:00		12:00	
12:30		12:30		12:30		12:30	
1:00		1:00		1:00		1:00	
1:30		1:30		1:30		1:30	
2:00		2:00		2:00		2:00	
2:30		2:30		2:30		2:30	
3:00		3:00		3:00		3:00	
3:30		3:30		3:30		3:30	
4:00		4:00		4:00		4:00	
4:30		4:30		4:30		4:30	
5:00		5:00		5:00		5:00	
5:30		5:30		5:30		5:30	
6:00		6:00		6:00		6:00	
6:30		6:30		6:30		6:30	
7:00		7:00		7:00		7:00	
7:30		7:30		7:30		7:30	
8:00		8:00		8:00		8:00	
	WRITING PROGRESS		WRITING PROGRESS		WRITING PROGRESS		WRITING PROGRESS

LOOKING AHEAD

 # August

Week Of

Aug 17 – 23

*"Start by doing what's
necessary, then do
what's possible,
and suddenly
you are doing
the impossible."*
—St. Francis of Assisi

PRIORITY GOALS

TO DO

DREAM GOALS

	17 MONDAY		18 TUESDAY		19 WEDNESDAY
	INTENTIONS		INTENTIONS		INTENTIONS
6:00		6:00		6:00	
6:30		6:30		6:30	
7:00		7:00		7:00	
7:30		7:30		7:30	
8:00		8:00		8:00	
8:30		8:30		8:30	
9:00		9:00		9:00	
9:30		9:30		9:30	
10:00		10:00		10:00	
10:30		10:30		10:30	
11:00		11:00		11:00	
11:30		11:30		11:30	
	I AM CREATIVE		MY WORDS MATTER		LIFE IS GOOD
12:00		12:00		12:00	
12:30		12:30		12:30	
1:00		1:00		1:00	
1:30		1:30		1:30	
2:00		2:00		2:00	
2:30		2:30		2:30	
3:00		3:00		3:00	
3:30		3:30		3:30	
4:00		4:00		4:00	
4:30		4:30		4:30	
5:00		5:00		5:00	
5:30		5:30		5:30	
6:00		6:00		6:00	
6:30		6:30		6:30	
7:00		7:00		7:00	
7:30		7:30		7:30	
8:00		8:00		8:00	
WRITING PROGRESS		WRITING PROGRESS		WRITING PROGRESS	
GRATITUDES					

	20		21		22		23
	THURSDAY		**FRIDAY**		**SATURDAY**		**SUNDAY**
INTENTIONS		INTENTIONS		INTENTIONS		INTENTIONS	
6:00		6:00		6:00		6:00	
6:30		6:30		6:30		6:30	
7:00		7:00		7:00		7:00	
7:30		7:30		7:30		7:30	
8:00		8:00		8:00		8:00	
8:30		8:30		8:30		8:30	
9:00		9:00		9:00		9:00	
9:30		9:30		9:30		9:30	
10:00		10:00		10:00		10:00	
10:30		10:30		10:30		10:30	
11:00		11:00		11:00		11:00	
11:30		11:30		11:30		11:30	
	I MEET MY GOALS		BUILDING MY DREAMS		NO EXCUSES		I AM AN AUTHOR
12:00		12:00		12:00		12:00	
12:30		12:30		12:30		12:30	
1:00		1:00		1:00		1:00	
1:30		1:30		1:30		1:30	
2:00		2:00		2:00		2:00	
2:30		2:30		2:30		2:30	
3:00		3:00		3:00		3:00	
3:30		3:30		3:30		3:30	
4:00		4:00		4:00		4:00	
4:30		4:30		4:30		4:30	
5:00		5:00		5:00		5:00	
5:30		5:30		5:30		5:30	
6:00		6:00		6:00		6:00	
6:30		6:30		6:30		6:30	
7:00		7:00		7:00		7:00	
7:30		7:30		7:30		7:30	
8:00		8:00		8:00		8:00	
WRITING PROGRESS		WRITING PROGRESS		WRITING PROGRESS		WRITING PROGRESS	

LOOKING AHEAD

August

"Always read something that will make you look good if you die in the middle of it."
—P.J. O'Rourke

PRIORITY GOALS

TO DO

DREAM GOALS

	24 MONDAY		25 TUESDAY		26 WEDNESDAY
INTENTIONS		INTENTIONS		INTENTIONS	
6:00		6:00		6:00	
6:30		6:30		6:30	
7:00		7:00		7:00	
7:30		7:30		7:30	
8:00		8:00		8:00	
8:30		8:30		8:30	
9:00		9:00		9:00	
9:30		9:30		9:30	
10:00		10:00		10:00	
10:30		10:30		10:30	
11:00		11:00		11:00	
11:30		11:30		11:30	
	I AM CREATIVE		MY WORDS MATTER		LIFE IS GOOD
12:00		12:00		12:00	
12:30		12:30		12:30	
1:00		1:00		1:00	
1:30		1:30		1:30	
2:00		2:00		2:00	
2:30		2:30		2:30	
3:00		3:00		3:00	
3:30		3:30		3:30	
4:00		4:00		4:00	
4:30		4:30		4:30	
5:00		5:00		5:00	
5:30		5:30		5:30	
6:00		6:00		6:00	
6:30		6:30		6:30	
7:00		7:00		7:00	
7:30		7:30		7:30	
8:00		8:00		8:00	
WRITING PROGRESS		WRITING PROGRESS		WRITING PROGRESS	

GRATITUDES

27	28	29	30
THURSDAY	FRIDAY	SATURDAY	SUNDAY
INTENTIONS	INTENTIONS	INTENTIONS	INTENTIONS

Time		Time		Time		Time	
6:00		6:00		6:00		6:00	
6:30		6:30		6:30		6:30	
7:00		7:00		7:00		7:00	
7:30		7:30		7:30		7:30	
8:00		8:00		8:00		8:00	
8:30		8:30		8:30		8:30	
9:00		9:00		9:00		9:00	
9:30		9:30		9:30		9:30	
10:00		10:00		10:00		10:00	
10:30		10:30		10:30		10:30	
11:00		11:00		11:00		11:00	
11:30		11:30		11:30		11:30	
	I MEET MY GOALS		BUILDING MY DREAMS		NO EXCUSES		I AM AN AUTHOR
12:00		12:00		12:00		12:00	
12:30		12:30		12:30		12:30	
1:00		1:00		1:00		1:00	
1:30		1:30		1:30		1:30	
2:00		2:00		2:00		2:00	
2:30		2:30		2:30		2:30	
3:00		3:00		3:00		3:00	
3:30		3:30		3:30		3:30	
4:00		4:00		4:00		4:00	
4:30		4:30		4:30		4:30	
5:00		5:00		5:00		5:00	
5:30		5:30		5:30		5:30	
6:00		6:00		6:00		6:00	
6:30		6:30		6:30		6:30	
7:00		7:00		7:00		7:00	
7:30		7:30		7:30		7:30	
8:00		8:00		8:00		8:00	
WRITING PROGRESS		WRITING PROGRESS		WRITING PROGRESS		WRITING PROGRESS	

LOOKING AHEAD

Monthly Overview

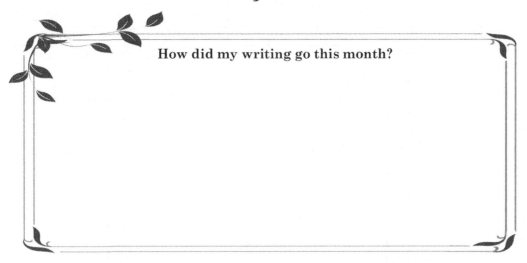

How did my writing go this month?

Did I meet my writing and personal goals? Why or why not?

Am I happy with how I spent my time?
If not, what changes will I make?

What did I learn this month that proved helpful?

What was my biggest time/ energy waster this month?
How can I eliminate it?

What have I been procrastinating on?

FIND A PLACE TO SCHEDULE IT NEXT MONTH

What goals do I want to meet next month?

September

MONDAY	TUESDAY	WEDNESDAY
31	1	2
7	8	9
14	15	16
21	22	23
28	29	30

This Month's Focus

Personal Projects

Writing Projects

Other

Social Media Goals

THURSDAY	FRIDAY	SATURDAY	SUNDAY
3	4	5	6
10	11	12	13
17	18	19	20
24	25	26	27
1	2	3	4

Sales / Releases / Queries

September

Week Of

Aug 31 — Sep 6

"Kindness is the language which the deaf can hear and the blind can see."
—Mark Twain

PRIORITY GOALS

TO DO

DREAM GOALS

	31 MONDAY		1 TUESDAY		2 WEDNESDAY
	INTENTIONS		**INTENTIONS**		**INTENTIONS**
6:00		6:00		6:00	
6:30		6:30		6:30	
7:00		7:00		7:00	
7:30		7:30		7:30	
8:00		8:00		8:00	
8:30		8:30		8:30	
9:00		9:00		9:00	
9:30		9:30		9:30	
10:00		10:00		10:00	
10:30		10:30		10:30	
11:00		11:00		11:00	
11:30		11:30		11:30	
	I AM CREATIVE		**MY WORDS MATTER**		**LIFE IS GOOD**
12:00		12:00		12:00	
12:30		12:30		12:30	
1:00		1:00		1:00	
1:30		1:30		1:30	
2:00		2:00		2:00	
2:30		2:30		2:30	
3:00		3:00		3:00	
3:30		3:30		3:30	
4:00		4:00		4:00	
4:30		4:30		4:30	
5:00		5:00		5:00	
5:30		5:30		5:30	
6:00		6:00		6:00	
6:30		6:30		6:30	
7:00		7:00		7:00	
7:30		7:30		7:30	
8:00		8:00		8:00	
WRITING PROGRESS		**WRITING PROGRESS**		**WRITING PROGRESS**	

GRATITUDES

3		4		5		6	
THURSDAY		**FRIDAY**		**SATURDAY**		**SUNDAY**	
INTENTIONS		INTENTIONS		INTENTIONS		INTENTIONS	
6:00		6:00		6:00		6:00	
6:30		6:30		6:30		6:30	
7:00		7:00		7:00		7:00	
7:30		7:30		7:30		7:30	
8:00		8:00		8:00		8:00	
8:30		8:30		8:30		8:30	
9:00		9:00		9:00		9:00	
9:30		9:30		9:30		9:30	
10:00		10:00		10:00		10:00	
10:30		10:30		10:30		10:30	
11:00		11:00		11:00		11:00	
11:30		11:30		11:30		11:30	
	I MEET MY GOALS		BUILDING MY DREAMS		NO EXCUSES		I AM AN AUTHOR
12:00		12:00		12:00		12:00	
12:30		12:30		12:30		12:30	
1:00		1:00		1:00		1:00	
1:30		1:30		1:30		1:30	
2:00		2:00		2:00		2:00	
2:30		2:30		2:30		2:30	
3:00		3:00		3:00		3:00	
3:30		3:30		3:30		3:30	
4:00		4:00		4:00		4:00	
4:30		4:30		4:30		4:30	
5:00		5:00		5:00		5:00	
5:30		5:30		5:30		5:30	
6:00		6:00		6:00		6:00	
6:30		6:30		6:30		6:30	
7:00		7:00		7:00		7:00	
7:30		7:30		7:30		7:30	
8:00		8:00		8:00		8:00	
WRITING PROGRESS		WRITING PROGRESS		WRITING PROGRESS		WRITING PROGRESS	

LOOKING AHEAD

September

Week Of

Sep 7 – 13

"Powerful writing may make you vulnerable... but it gives your readers great strength."
—Demi Stevens

PRIORITY GOALS

TO DO

DREAM GOALS

	7 MONDAY		8 TUESDAY		9 WEDNESDAY
INTENTIONS		**INTENTIONS**		**INTENTIONS**	
6:00		6:00		6:00	
6:30		6:30		6:30	
7:00		7:00		7:00	
7:30		7:30		7:30	
8:00		8:00		8:00	
8:30		8:30		8:30	
9:00		9:00		9:00	
9:30		9:30		9:30	
10:00		10:00		10:00	
10:30		10:30		10:30	
11:00		11:00		11:00	
11:30		11:30		11:30	
I AM CREATIVE		**MY WORDS MATTER**		**LIFE IS GOOD**	
12:00		12:00		12:00	
12:30		12:30		12:30	
1:00		1:00		1:00	
1:30		1:30		1:30	
2:00		2:00		2:00	
2:30		2:30		2:30	
3:00		3:00		3:00	
3:30		3:30		3:30	
4:00		4:00		4:00	
4:30		4:30		4:30	
5:00		5:00		5:00	
5:30		5:30		5:30	
6:00		6:00		6:00	
6:30		6:30		6:30	
7:00		7:00		7:00	
7:30		7:30		7:30	
8:00		8:00		8:00	
WRITING PROGRESS		**WRITING PROGRESS**		**WRITING PROGRESS**	

GRATITUDES

	10		11		12		13
	THURSDAY		**FRIDAY**		**SATURDAY**		**SUNDAY**
INTENTIONS		INTENTIONS		INTENTIONS		INTENTIONS	
6:00		6:00		6:00		6:00	
6:30		6:30		6:30		6:30	
7:00		7:00		7:00		7:00	
7:30		7:30		7:30		7:30	
8:00		8:00		8:00		8:00	
8:30		8:30		8:30		8:30	
9:00		9:00		9:00		9:00	
9:30		9:30		9:30		9:30	
10:00		10:00		10:00		10:00	
10:30		10:30		10:30		10:30	
11:00		11:00		11:00		11:00	
11:30		11:30		11:30		11:30	
	I MEET MY GOALS		BUILDING MY DREAMS		NO EXCUSES		I AM AN AUTHOR
12:00		12:00		12:00		12:00	
12:30		12:30		12:30		12:30	
1:00		1:00		1:00		1:00	
1:30		1:30		1:30		1:30	
2:00		2:00		2:00		2:00	
2:30		2:30		2:30		2:30	
3:00		3:00		3:00		3:00	
3:30		3:30		3:30		3:30	
4:00		4:00		4:00		4:00	
4:30		4:30		4:30		4:30	
5:00		5:00		5:00		5:00	
5:30		5:30		5:30		5:30	
6:00		6:00		6:00		6:00	
6:30		6:30		6:30		6:30	
7:00		7:00		7:00		7:00	
7:30		7:30		7:30		7:30	
8:00		8:00		8:00		8:00	
WRITING PROGRESS		WRITING PROGRESS		WRITING PROGRESS		WRITING PROGRESS	

LOOKING AHEAD

September

Week Of

Sep 14 — 20

"Optimism is the faith that leads to achievement."
—Helen Keller

PRIORITY GOALS

TO DO

DREAM GOALS

	14 MONDAY		15 TUESDAY		16 WEDNESDAY
INTENTIONS		**INTENTIONS**		**INTENTIONS**	
6:00		6:00		6:00	
6:30		6:30		6:30	
7:00		7:00		7:00	
7:30		7:30		7:30	
8:00		8:00		8:00	
8:30		8:30		8:30	
9:00		9:00		9:00	
9:30		9:30		9:30	
10:00		10:00		10:00	
10:30		10:30		10:30	
11:00		11:00		11:00	
11:30		11:30		11:30	
	I AM CREATIVE		**MY WORDS MATTER**		**LIFE IS GOOD**
12:00		12:00		12:00	
12:30		12:30		12:30	
1:00		1:00		1:00	
1:30		1:30		1:30	
2:00		2:00		2:00	
2:30		2:30		2:30	
3:00		3:00		3:00	
3:30		3:30		3:30	
4:00		4:00		4:00	
4:30		4:30		4:30	
5:00		5:00		5:00	
5:30		5:30		5:30	
6:00		6:00		6:00	
6:30		6:30		6:30	
7:00		7:00		7:00	
7:30		7:30		7:30	
8:00		8:00		8:00	
WRITING PROGRESS		**WRITING PROGRESS**		**WRITING PROGRESS**	

GRATITUDES

	17		18		19		20
	THURSDAY		**FRIDAY**		**SATURDAY**		**SUNDAY**
INTENTIONS		INTENTIONS		INTENTIONS		INTENTIONS	
6:00		6:00		6:00		6:00	
6:30		6:30		6:30		6:30	
7:00		7:00		7:00		7:00	
7:30		7:30		7:30		7:30	
8:00		8:00		8:00		8:00	
8:30		8:30		8:30		8:30	
9:00		9:00		9:00		9:00	
9:30		9:30		9:30		9:30	
10:00		10:00		10:00		10:00	
10:30		10:30		10:30		10:30	
11:00		11:00		11:00		11:00	
11:30		11:30		11:30		11:30	
	I MEET MY GOALS		BUILDING MY DREAMS		NO EXCUSES		I AM AN AUTHOR
12:00		12:00		12:00		12:00	
12:30		12:30		12:30		12:30	
1:00		1:00		1:00		1:00	
1:30		1:30		1:30		1:30	
2:00		2:00		2:00		2:00	
2:30		2:30		2:30		2:30	
3:00		3:00		3:00		3:00	
3:30		3:30		3:30		3:30	
4:00		4:00		4:00		4:00	
4:30		4:30		4:30		4:30	
5:00		5:00		5:00		5:00	
5:30		5:30		5:30		5:30	
6:00		6:00		6:00		6:00	
6:30		6:30		6:30		6:30	
7:00		7:00		7:00		7:00	
7:30		7:30		7:30		7:30	
8:00		8:00		8:00		8:00	
WRITING PROGRESS		WRITING PROGRESS		WRITING PROGRESS		WRITING PROGRESS	

LOOKING AHEAD

September

Sep 21 — 27

You're already good enough.

PRIORITY GOALS

TO DO

DREAM GOALS

	21 MONDAY	22 TUESDAY	23 WEDNESDAY
	INTENTIONS	INTENTIONS	INTENTIONS
6:00		6:00	6:00
6:30		6:30	6:30
7:00		7:00	7:00
7:30		7:30	7:30
8:00		8:00	8:00
8:30		8:30	8:30
9:00		9:00	9:00
9:30		9:30	9:30
10:00		10:00	10:00
10:30		10:30	10:30
11:00		11:00	11:00
11:30		11:30	11:30
	I AM CREATIVE	MY WORDS MATTER	LIFE IS GOOD
12:00		12:00	12:00
12:30		12:30	12:30
1:00		1:00	1:00
1:30		1:30	1:30
2:00		2:00	2:00
2:30		2:30	2:30
3:00		3:00	3:00
3:30		3:30	3:30
4:00		4:00	4:00
4:30		4:30	4:30
5:00		5:00	5:00
5:30		5:30	5:30
6:00		6:00	6:00
6:30		6:30	6:30
7:00		7:00	7:00
7:30		7:30	7:30
8:00		8:00	8:00
WRITING PROGRESS		WRITING PROGRESS	WRITING PROGRESS

GRATITUDES

24	25	26	27
THURSDAY	**FRIDAY**	**SATURDAY**	**SUNDAY**
INTENTIONS	INTENTIONS	INTENTIONS	INTENTIONS
6:00	6:00	6:00	6:00
6:30	6:30	6:30	6:30
7:00	7:00	7:00	7:00
7:30	7:30	7:30	7:30
8:00	8:00	8:00	8:00
8:30	8:30	8:30	8:30
9:00	9:00	9:00	9:00
9:30	9:30	9:30	9:30
10:00	10:00	10:00	10:00
10:30	10:30	10:30	10:30
11:00	11:00	11:00	11:00
11:30	11:30	11:30	11:30
I MEET MY GOALS	BUILDING MY DREAMS	NO EXCUSES	I AM AN AUTHOR
12:00	12:00	12:00	12:00
12:30	12:30	12:30	12:30
1:00	1:00	1:00	1:00
1:30	1:30	1:30	1:30
2:00	2:00	2:00	2:00
2:30	2:30	2:30	2:30
3:00	3:00	3:00	3:00
3:30	3:30	3:30	3:30
4:00	4:00	4:00	4:00
4:30	4:30	4:30	4:30
5:00	5:00	5:00	5:00
5:30	5:30	5:30	5:30
6:00	6:00	6:00	6:00
6:30	6:30	6:30	6:30
7:00	7:00	7:00	7:00
7:30	7:30	7:30	7:30
8:00	8:00	8:00	8:00
WRITING PROGRESS	WRITING PROGRESS	WRITING PROGRESS	WRITING PROGRESS

LOOKING AHEAD

September

"Do a little more each day than you think you possibly can."
—Lowell Thomas

PRIORITY GOALS

TO DO

DREAM GOALS

	28 MONDAY	29 TUESDAY	30 WEDNESDAY
	INTENTIONS	INTENTIONS	INTENTIONS
6:00			
6:30			
7:00			
7:30			
8:00			
8:30			
9:00			
9:30			
10:00			
10:30			
11:00			
11:30			
	I AM CREATIVE	MY WORDS MATTER	LIFE IS GOOD
12:00			
12:30			
1:00			
1:30			
2:00			
2:30			
3:00			
3:30			
4:00			
4:30			
5:00			
5:30			
6:00			
6:30			
7:00			
7:30			
8:00			
	WRITING PROGRESS	WRITING PROGRESS	WRITING PROGRESS

GRATITUDES

	1		2		3		4
	THURSDAY		**FRIDAY**		**SATURDAY**		**SUNDAY**
INTENTIONS		INTENTIONS		INTENTIONS		INTENTIONS	
6:00		6:00		6:00		6:00	
6:30		6:30		6:30		6:30	
7:00		7:00		7:00		7:00	
7:30		7:30		7:30		7:30	
8:00		8:00		8:00		8:00	
8:30		8:30		8:30		8:30	
9:00		9:00		9:00		9:00	
9:30		9:30		9:30		9:30	
10:00		10:00		10:00		10:00	
10:30		10:30		10:30		10:30	
11:00		11:00		11:00		11:00	
11:30		11:30		11:30		11:30	
	I MEET MY GOALS		BUILDING MY DREAMS		NO EXCUSES		I AM AN AUTHOR
12:00		12:00		12:00		12:00	
12:30		12:30		12:30		12:30	
1:00		1:00		1:00		1:00	
1:30		1:30		1:30		1:30	
2:00		2:00		2:00		2:00	
2:30		2:30		2:30		2:30	
3:00		3:00		3:00		3:00	
3:30		3:30		3:30		3:30	
4:00		4:00		4:00		4:00	
4:30		4:30		4:30		4:30	
5:00		5:00		5:00		5:00	
5:30		5:30		5:30		5:30	
6:00		6:00		6:00		6:00	
6:30		6:30		6:30		6:30	
7:00		7:00		7:00		7:00	
7:30		7:30		7:30		7:30	
8:00		8:00		8:00		8:00	
WRITING PROGRESS		WRITING PROGRESS		WRITING PROGRESS		WRITING PROGRESS	

LOOKING AHEAD

Quarterly Overview

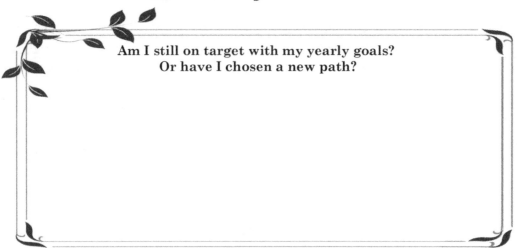

Am I still on target with my yearly goals?
Or have I chosen a new path?

What interfered with my progress?

What can I do next quarter to eliminate these obstacles?

What do I need to let go of this coming quarter?

What happened this quarter that I need to reframe positively?

How do my work and activities reflect the yearly word I chose?

What do I hope to accomplish next quarter?

October

	MONDAY	TUESDAY	WEDNESDAY
	28	29	30
	5	6	7
	12	13	14
	19	20	21
	26	27	28

This Month's Focus

Personal Projects

Writing Projects

Other

Social Media Goals

THURSDAY	FRIDAY	SATURDAY	SUNDAY
1	2	3	4
8	9	10	11
15	16	17	18
22	23	24	25
29	30	31	1

Sales / Releases / Queries

# October

Week Of

Oct 5 – 11

*"We write by the light
of every story
we have ever read."*
—Richard Peck

PRIORITY GOALS

TO DO

DREAM GOALS

	5 MONDAY		6 TUESDAY		7 WEDNESDAY
INTENTIONS		**INTENTIONS**		**INTENTIONS**	
6:00		6:00		6:00	
6:30		6:30		6:30	
7:00		7:00		7:00	
7:30		7:30		7:30	
8:00		8:00		8:00	
8:30		8:30		8:30	
9:00		9:00		9:00	
9:30		9:30		9:30	
10:00		10:00		10:00	
10:30		10:30		10:30	
11:00		11:00		11:00	
11:30		11:30		11:30	
	I AM CREATIVE		**MY WORDS MATTER**		**LIFE IS GOOD**
12:00		12:00		12:00	
12:30		12:30		12:30	
1:00		1:00		1:00	
1:30		1:30		1:30	
2:00		2:00		2:00	
2:30		2:30		2:30	
3:00		3:00		3:00	
3:30		3:30		3:30	
4:00		4:00		4:00	
4:30		4:30		4:30	
5:00		5:00		5:00	
5:30		5:30		5:30	
6:00		6:00		6:00	
6:30		6:30		6:30	
7:00		7:00		7:00	
7:30		7:30		7:30	
8:00		8:00		8:00	
WRITING PROGRESS		**WRITING PROGRESS**		**WRITING PROGRESS**	

GRATITUDES

	8		9		10		11
	THURSDAY		**FRIDAY**		**SATURDAY**		**SUNDAY**
INTENTIONS		INTENTIONS		INTENTIONS		INTENTIONS	
6:00		6:00		6:00		6:00	
6:30		6:30		6:30		6:30	
7:00		7:00		7:00		7:00	
7:30		7:30		7:30		7:30	
8:00		8:00		8:00		8:00	
8:30		8:30		8:30		8:30	
9:00		9:00		9:00		9:00	
9:30		9:30		9:30		9:30	
10:00		10:00		10:00		10:00	
10:30		10:30		10:30		10:30	
11:00		11:00		11:00		11:00	
11:30		11:30		11:30		11:30	
	I MEET MY GOALS		BUILDING MY DREAMS		NO EXCUSES		I AM AN AUTHOR
12:00		12:00		12:00		12:00	
12:30		12:30		12:30		12:30	
1:00		1:00		1:00		1:00	
1:30		1:30		1:30		1:30	
2:00		2:00		2:00		2:00	
2:30		2:30		2:30		2:30	
3:00		3:00		3:00		3:00	
3:30		3:30		3:30		3:30	
4:00		4:00		4:00		4:00	
4:30		4:30		4:30		4:30	
5:00		5:00		5:00		5:00	
5:30		5:30		5:30		5:30	
6:00		6:00		6:00		6:00	
6:30		6:30		6:30		6:30	
7:00		7:00		7:00		7:00	
7:30		7:30		7:30		7:30	
8:00		8:00		8:00		8:00	
WRITING PROGRESS		WRITING PROGRESS		WRITING PROGRESS		WRITING PROGRESS	

LOOKING AHEAD

October

Create the life you've always wanted.

PRIORITY GOALS

TO DO

DREAM GOALS

	12 MONDAY		13 TUESDAY		14 WEDNESDAY
	INTENTIONS		INTENTIONS		INTENTIONS
6:00		6:00		6:00	
6:30		6:30		6:30	
7:00		7:00		7:00	
7:30		7:30		7:30	
8:00		8:00		8:00	
8:30		8:30		8:30	
9:00		9:00		9:00	
9:30		9:30		9:30	
10:00		10:00		10:00	
10:30		10:30		10:30	
11:00		11:00		11:00	
11:30		11:30		11:30	
	I AM CREATIVE		MY WORDS MATTER		LIFE IS GOOD
12:00		12:00		12:00	
12:30		12:30		12:30	
1:00		1:00		1:00	
1:30		1:30		1:30	
2:00		2:00		2:00	
2:30		2:30		2:30	
3:00		3:00		3:00	
3:30		3:30		3:30	
4:00		4:00		4:00	
4:30		4:30		4:30	
5:00		5:00		5:00	
5:30		5:30		5:30	
6:00		6:00		6:00	
6:30		6:30		6:30	
7:00		7:00		7:00	
7:30		7:30		7:30	
8:00		8:00		8:00	

WRITING PROGRESS   WRITING PROGRESS   WRITING PROGRESS

GRATITUDES

15	16	17	18
THURSDAY	**FRIDAY**	**SATURDAY**	**SUNDAY**
INTENTIONS	INTENTIONS	INTENTIONS	INTENTIONS
6:00	6:00	6:00	6:00
6:30	6:30	6:30	6:30
7:00	7:00	7:00	7:00
7:30	7:30	7:30	7:30
8:00	8:00	8:00	8:00
8:30	8:30	8:30	8:30
9:00	9:00	9:00	9:00
9:30	9:30	9:30	9:30
10:00	10:00	10:00	10:00
10:30	10:30	10:30	10:30
11:00	11:00	11:00	11:00
11:30	11:30	11:30	11:30
I MEET MY GOALS	BUILDING MY DREAMS	NO EXCUSES	I AM AN AUTHOR
12:00	12:00	12:00	12:00
12:30	12:30	12:30	12:30
1:00	1:00	1:00	1:00
1:30	1:30	1:30	1:30
2:00	2:00	2:00	2:00
2:30	2:30	2:30	2:30
3:00	3:00	3:00	3:00
3:30	3:30	3:30	3:30
4:00	4:00	4:00	4:00
4:30	4:30	4:30	4:30
5:00	5:00	5:00	5:00
5:30	5:30	5:30	5:30
6:00	6:00	6:00	6:00
6:30	6:30	6:30	6:30
7:00	7:00	7:00	7:00
7:30	7:30	7:30	7:30
8:00	8:00	8:00	8:00
WRITING PROGRESS	WRITING PROGRESS	WRITING PROGRESS	WRITING PROGRESS

LOOKING AHEAD

October

Oct 19 – 25

"I open to all the beautiful possibilities blossoming before me."
—Leonie Dawson

PRIORITY GOALS

TO DO

DREAM GOALS

	19 MONDAY		20 TUESDAY		21 WEDNESDAY
	INTENTIONS		INTENTIONS		INTENTIONS
6:00		6:00		6:00	
6:30		6:30		6:30	
7:00		7:00		7:00	
7:30		7:30		7:30	
8:00		8:00		8:00	
8:30		8:30		8:30	
9:00		9:00		9:00	
9:30		9:30		9:30	
10:00		10:00		10:00	
10:30		10:30		10:30	
11:00		11:00		11:00	
11:30		11:30		11:30	
	I AM CREATIVE		MY WORDS MATTER		LIFE IS GOOD
12:00		12:00		12:00	
12:30		12:30		12:30	
1:00		1:00		1:00	
1:30		1:30		1:30	
2:00		2:00		2:00	
2:30		2:30		2:30	
3:00		3:00		3:00	
3:30		3:30		3:30	
4:00		4:00		4:00	
4:30		4:30		4:30	
5:00		5:00		5:00	
5:30		5:30		5:30	
6:00		6:00		6:00	
6:30		6:30		6:30	
7:00		7:00		7:00	
7:30		7:30		7:30	
8:00		8:00		8:00	
WRITING PROGRESS		WRITING PROGRESS		WRITING PROGRESS	

GRATITUDES

22 THURSDAY	23 FRIDAY	24 SATURDAY	25 SUNDAY
INTENTIONS	INTENTIONS	INTENTIONS	INTENTIONS

22 THURSDAY	23 FRIDAY	24 SATURDAY	25 SUNDAY
6:00	6:00	6:00	6:00
6:30	6:30	6:30	6:30
7:00	7:00	7:00	7:00
7:30	7:30	7:30	7:30
8:00	8:00	8:00	8:00
8:30	8:30	8:30	8:30
9:00	9:00	9:00	9:00
9:30	9:30	9:30	9:30
10:00	10:00	10:00	10:00
10:30	10:30	10:30	10:30
11:00	11:00	11:00	11:00
11:30	11:30	11:30	11:30
I MEET MY GOALS	BUILDING MY DREAMS	NO EXCUSES	I AM AN AUTHOR
12:00	12:00	12:00	12:00
12:30	12:30	12:30	12:30
1:00	1:00	1:00	1:00
1:30	1:30	1:30	1:30
2:00	2:00	2:00	2:00
2:30	2:30	2:30	2:30
3:00	3:00	3:00	3:00
3:30	3:30	3:30	3:30
4:00	4:00	4:00	4:00
4:30	4:30	4:30	4:30
5:00	5:00	5:00	5:00
5:30	5:30	5:30	5:30
6:00	6:00	6:00	6:00
6:30	6:30	6:30	6:30
7:00	7:00	7:00	7:00
7:30	7:30	7:30	7:30
8:00	8:00	8:00	8:00
WRITING PROGRESS	WRITING PROGRESS	WRITING PROGRESS	WRITING PROGRESS

LOOKING AHEAD

October

Week Of

Oct 26 — Nov 1

Tomorrow is a new day... but why wait?

PRIORITY GOALS

TO DO

DREAM GOALS

	26 MONDAY		27 TUESDAY		28 WEDNESDAY
	INTENTIONS		**INTENTIONS**		**INTENTIONS**
6:00		6:00		6:00	
6:30		6:30		6:30	
7:00		7:00		7:00	
7:30		7:30		7:30	
8:00		8:00		8:00	
8:30		8:30		8:30	
9:00		9:00		9:00	
9:30		9:30		9:30	
10:00		10:00		10:00	
10:30		10:30		10:30	
11:00		11:00		11:00	
11:30		11:30		11:30	
	I AM CREATIVE		**MY WORDS MATTER**		**LIFE IS GOOD**
12:00		12:00		12:00	
12:30		12:30		12:30	
1:00		1:00		1:00	
1:30		1:30		1:30	
2:00		2:00		2:00	
2:30		2:30		2:30	
3:00		3:00		3:00	
3:30		3:30		3:30	
4:00		4:00		4:00	
4:30		4:30		4:30	
5:00		5:00		5:00	
5:30		5:30		5:30	
6:00		6:00		6:00	
6:30		6:30		6:30	
7:00		7:00		7:00	
7:30		7:30		7:30	
8:00		8:00		8:00	
WRITING PROGRESS		**WRITING PROGRESS**		**WRITING PROGRESS**	

GRATITUDES

29	30	31	1
THURSDAY	**FRIDAY**	**SATURDAY**	**SUNDAY**
INTENTIONS	INTENTIONS	INTENTIONS	INTENTIONS
6:00	6:00	6:00	6:00
6:30	6:30	6:30	6:30
7:00	7:00	7:00	7:00
7:30	7:30	7:30	7:30
8:00	8:00	8:00	8:00
8:30	8:30	8:30	8:30
9:00	9:00	9:00	9:00
9:30	9:30	9:30	9:30
10:00	10:00	10:00	10:00
10:30	10:30	10:30	10:30
11:00	11:00	11:00	11:00
11:30	11:30	11:30	11:30
I MEET MY GOALS	BUILDING MY DREAMS	NO EXCUSES	I AM AN AUTHOR
12:00	12:00	12:00	12:00
12:30	12:30	12:30	12:30
1:00	1:00	1:00	1:00
1:30	1:30	1:30	1:30
2:00	2:00	2:00	2:00
2:30	2:30	2:30	2:30
3:00	3:00	3:00	3:00
3:30	3:30	3:30	3:30
4:00	4:00	4:00	4:00
4:30	4:30	4:30	4:30
5:00	5:00	5:00	5:00
5:30	5:30	5:30	5:30
6:00	6:00	6:00	6:00
6:30	6:30	6:30	6:30
7:00	7:00	7:00	7:00
7:30	7:30	7:30	7:30
8:00	8:00	8:00	8:00
WRITING PROGRESS	WRITING PROGRESS	WRITING PROGRESS	WRITING PROGRESS

LOOKING AHEAD

Monthly Overview

How did my writing go this month?

Did I meet my writing and personal goals? Why or why not?

Am I happy with how I spent my time?
If not, what changes will I make?

What did I learn this month that proved helpful?

What was my biggest time/ energy waster this month?
How can I eliminate it?

What have I been procrastinating on?

FIND A PLACE TO SCHEDULE IT NEXT MONTH

What goals do I want to meet next month?

November

MONDAY	TUESDAY	WEDNESDAY
26	27	28
2	3	4
9	10	11
16	17	18
23	24	25
30	1	2

This Month's Focus

Personal Projects

Writing Projects

Other

Social Media Goals

THURSDAY	FRIDAY	SATURDAY	SUNDAY
29	30	31	1
5	6	7	8
12	13	14	15
19	20	21	22
26	27	28	29
3	4	5	6

Sales / Releases / Queries

November

*"Your writing doesn't
have to be perfect,
you only have to
start."*

PRIORITY GOALS

TO DO

DREAM GOALS

GRATITUDES

	2	3	4
	MONDAY	**TUESDAY**	**WEDNESDAY**
	INTENTIONS	INTENTIONS	INTENTIONS
6:00		6:00	6:00
6:30		6:30	6:30
7:00		7:00	7:00
7:30		7:30	7:30
8:00		8:00	8:00
8:30		8:30	8:30
9:00		9:00	9:00
9:30		9:30	9:30
10:00		10:00	10:00
10:30		10:30	10:30
11:00		11:00	11:00
11:30		11:30	11:30
	I AM CREATIVE	**MY WORDS MATTER**	**LIFE IS GOOD**
12:00		12:00	12:00
12:30		12:30	12:30
1:00		1:00	1:00
1:30		1:30	1:30
2:00		2:00	2:00
2:30		2:30	2:30
3:00		3:00	3:00
3:30		3:30	3:30
4:00		4:00	4:00
4:30		4:30	4:30
5:00		5:00	5:00
5:30		5:30	5:30
6:00		6:00	6:00
6:30		6:30	6:30
7:00		7:00	7:00
7:30		7:30	7:30
8:00		8:00	8:00
WRITING PROGRESS	WRITING PROGRESS	WRITING PROGRESS

	5		**6**		**7**		**8**
THURSDAY		**FRIDAY**		**SATURDAY**		**SUNDAY**	
INTENTIONS		INTENTIONS		INTENTIONS		INTENTIONS	
6:00		6:00		6:00		6:00	
6:30		6:30		6:30		6:30	
7:00		7:00		7:00		7:00	
7:30		7:30		7:30		7:30	
8:00		8:00		8:00		8:00	
8:30		8:30		8:30		8:30	
9:00		9:00		9:00		9:00	
9:30		9:30		9:30		9:30	
10:00		10:00		10:00		10:00	
10:30		10:30		10:30		10:30	
11:00		11:00		11:00		11:00	
11:30		11:30		11:30		11:30	
	I MEET MY GOALS		BUILDING MY DREAMS		NO EXCUSES		I AM AN AUTHOR
12:00		12:00		12:00		12:00	
12:30		12:30		12:30		12:30	
1:00		1:00		1:00		1:00	
1:30		1:30		1:30		1:30	
2:00		2:00		2:00		2:00	
2:30		2:30		2:30		2:30	
3:00		3:00		3:00		3:00	
3:30		3:30		3:30		3:30	
4:00		4:00		4:00		4:00	
4:30		4:30		4:30		4:30	
5:00		5:00		5:00		5:00	
5:30		5:30		5:30		5:30	
6:00		6:00		6:00		6:00	
6:30		6:30		6:30		6:30	
7:00		7:00		7:00		7:00	
7:30		7:30		7:30		7:30	
8:00		8:00		8:00		8:00	
WRITING PROGRESS		WRITING PROGRESS		WRITING PROGRESS		WRITING PROGRESS	

LOOKING AHEAD

November

*"PLOT is a
4-letter word."
—Demi Stevens*

PRIORITY GOALS

TO DO

DREAM GOALS

	9 MONDAY		10 TUESDAY		11 WEDNESDAY
	INTENTIONS		INTENTIONS		INTENTIONS
6:00		6:00		6:00	
6:30		6:30		6:30	
7:00		7:00		7:00	
7:30		7:30		7:30	
8:00		8:00		8:00	
8:30		8:30		8:30	
9:00		9:00		9:00	
9:30		9:30		9:30	
10:00		10:00		10:00	
10:30		10:30		10:30	
11:00		11:00		11:00	
11:30		11:30		11:30	
	I AM CREATIVE		MY WORDS MATTER		LIFE IS GOOD
12:00		12:00		12:00	
12:30		12:30		12:30	
1:00		1:00		1:00	
1:30		1:30		1:30	
2:00		2:00		2:00	
2:30		2:30		2:30	
3:00		3:00		3:00	
3:30		3:30		3:30	
4:00		4:00		4:00	
4:30		4:30		4:30	
5:00		5:00		5:00	
5:30		5:30		5:30	
6:00		6:00		6:00	
6:30		6:30		6:30	
7:00		7:00		7:00	
7:30		7:30		7:30	
8:00		8:00		8:00	
WRITING PROGRESS		WRITING PROGRESS		WRITING PROGRESS	
GRATITUDES					

12	13	14	15
THURSDAY	**FRIDAY**	**SATURDAY**	**SUNDAY**
INTENTIONS	INTENTIONS	INTENTIONS	INTENTIONS

THURSDAY	FRIDAY	SATURDAY	SUNDAY
6:00	6:00	6:00	6:00
6:30	6:30	6:30	6:30
7:00	7:00	7:00	7:00
7:30	7:30	7:30	7:30
8:00	8:00	8:00	8:00
8:30	8:30	8:30	8:30
9:00	9:00	9:00	9:00
9:30	9:30	9:30	9:30
10:00	10:00	10:00	10:00
10:30	10:30	10:30	10:30
11:00	11:00	11:00	11:00
11:30	11:30	11:30	11:30
I MEET MY GOALS	**BUILDING MY DREAMS**	**NO EXCUSES**	**I AM AN AUTHOR**
12:00	12:00	12:00	12:00
12:30	12:30	12:30	12:30
1:00	1:00	1:00	1:00
1:30	1:30	1:30	1:30
2:00	2:00	2:00	2:00
2:30	2:30	2:30	2:30
3:00	3:00	3:00	3:00
3:30	3:30	3:30	3:30
4:00	4:00	4:00	4:00
4:30	4:30	4:30	4:30
5:00	5:00	5:00	5:00
5:30	5:30	5:30	5:30
6:00	6:00	6:00	6:00
6:30	6:30	6:30	6:30
7:00	7:00	7:00	7:00
7:30	7:30	7:30	7:30
8:00	8:00	8:00	8:00
WRITING PROGRESS	WRITING PROGRESS	WRITING PROGRESS	WRITING PROGRESS

LOOKING AHEAD

November

Week Of

Nov 16 — 22

"Never give up, for that is just the place and time that the tide will turn."
—Harriet Beecher Stowe

PRIORITY GOALS

TO DO

DREAM GOALS

	16 MONDAY		17 TUESDAY		18 WEDNESDAY
	INTENTIONS		**INTENTIONS**		**INTENTIONS**
6:00		6:00		6:00	
6:30		6:30		6:30	
7:00		7:00		7:00	
7:30		7:30		7:30	
8:00		8:00		8:00	
8:30		8:30		8:30	
9:00		9:00		9:00	
9:30		9:30		9:30	
10:00		10:00		10:00	
10:30		10:30		10:30	
11:00		11:00		11:00	
11:30		11:30		11:30	
	I AM CREATIVE		**MY WORDS MATTER**		**LIFE IS GOOD**
12:00		12:00		12:00	
12:30		12:30		12:30	
1:00		1:00		1:00	
1:30		1:30		1:30	
2:00		2:00		2:00	
2:30		2:30		2:30	
3:00		3:00		3:00	
3:30		3:30		3:30	
4:00		4:00		4:00	
4:30		4:30		4:30	
5:00		5:00		5:00	
5:30		5:30		5:30	
6:00		6:00		6:00	
6:30		6:30		6:30	
7:00		7:00		7:00	
7:30		7:30		7:30	
8:00		8:00		8:00	
WRITING PROGRESS		**WRITING PROGRESS**		**WRITING PROGRESS**	

GRATITUDES

	19		20		21		22
	THURSDAY		**FRIDAY**		**SATURDAY**		**SUNDAY**
INTENTIONS		INTENTIONS		INTENTIONS		INTENTIONS	
6:00		6:00		6:00		6:00	
6:30		6:30		6:30		6:30	
7:00		7:00		7:00		7:00	
7:30		7:30		7:30		7:30	
8:00		8:00		8:00		8:00	
8:30		8:30		8:30		8:30	
9:00		9:00		9:00		9:00	
9:30		9:30		9:30		9:30	
10:00		10:00		10:00		10:00	
10:30		10:30		10:30		10:30	
11:00		11:00		11:00		11:00	
11:30		11:30		11:30		11:30	
	I MEET MY GOALS		BUILDING MY DREAMS		NO EXCUSES		I AM AN AUTHOR
12:00		12:00		12:00		12:00	
12:30		12:30		12:30		12:30	
1:00		1:00		1:00		1:00	
1:30		1:30		1:30		1:30	
2:00		2:00		2:00		2:00	
2:30		2:30		2:30		2:30	
3:00		3:00		3:00		3:00	
3:30		3:30		3:30		3:30	
4:00		4:00		4:00		4:00	
4:30		4:30		4:30		4:30	
5:00		5:00		5:00		5:00	
5:30		5:30		5:30		5:30	
6:00		6:00		6:00		6:00	
6:30		6:30		6:30		6:30	
7:00		7:00		7:00		7:00	
7:30		7:30		7:30		7:30	
8:00		8:00		8:00		8:00	
WRITING PROGRESS		WRITING PROGRESS		WRITING PROGRESS		WRITING PROGRESS	

LOOKING AHEAD

November

Week Of

Nov 23 – 29

*"I love deadlines.
I like the
whooshing sound
they make
as they fly by."
—Douglas Adams*

PRIORITY GOALS

TO DO

DREAM GOALS

	23 MONDAY		24 TUESDAY		25 WEDNESDAY
	INTENTIONS		INTENTIONS		INTENTIONS
6:00		6:00		6:00	
6:30		6:30		6:30	
7:00		7:00		7:00	
7:30		7:30		7:30	
8:00		8:00		8:00	
8:30		8:30		8:30	
9:00		9:00		9:00	
9:30		9:30		9:30	
10:00		10:00		10:00	
10:30		10:30		10:30	
11:00		11:00		11:00	
11:30		11:30		11:30	
	I AM CREATIVE		MY WORDS MATTER		LIFE IS GOOD
12:00		12:00		12:00	
12:30		12:30		12:30	
1:00		1:00		1:00	
1:30		1:30		1:30	
2:00		2:00		2:00	
2:30		2:30		2:30	
3:00		3:00		3:00	
3:30		3:30		3:30	
4:00		4:00		4:00	
4:30		4:30		4:30	
5:00		5:00		5:00	
5:30		5:30		5:30	
6:00		6:00		6:00	
6:30		6:30		6:30	
7:00		7:00		7:00	
7:30		7:30		7:30	
8:00		8:00		8:00	
WRITING PROGRESS		WRITING PROGRESS		WRITING PROGRESS	
GRATITUDES					

26	27	28	29
THURSDAY	**FRIDAY**	**SATURDAY**	**SUNDAY**
INTENTIONS	INTENTIONS	INTENTIONS	INTENTIONS
6:00	6:00	6:00	6:00
6:30	6:30	6:30	6:30
7:00	7:00	7:00	7:00
7:30	7:30	7:30	7:30
8:00	8:00	8:00	8:00
8:30	8:30	8:30	8:30
9:00	9:00	9:00	9:00
9:30	9:30	9:30	9:30
10:00	10:00	10:00	10:00
10:30	10:30	10:30	10:30
11:00	11:00	11:00	11:00
11:30	11:30	11:30	11:30
I MEET MY GOALS	BUILDING MY DREAMS	NO EXCUSES	I AM AN AUTHOR
12:00	12:00	12:00	12:00
12:30	12:30	12:30	12:30
1:00	1:00	1:00	1:00
1:30	1:30	1:30	1:30
2:00	2:00	2:00	2:00
2:30	2:30	2:30	2:30
3:00	3:00	3:00	3:00
3:30	3:30	3:30	3:30
4:00	4:00	4:00	4:00
4:30	4:30	4:30	4:30
5:00	5:00	5:00	5:00
5:30	5:30	5:30	5:30
6:00	6:00	6:00	6:00
6:30	6:30	6:30	6:30
7:00	7:00	7:00	7:00
7:30	7:30	7:30	7:30
8:00	8:00	8:00	8:00
WRITING PROGRESS	WRITING PROGRESS	WRITING PROGRESS	WRITING PROGRESS

LOOKING AHEAD

TIME TO ORDER YOUR 2021 PLANNER! Visit yotbpress.com/authorjourney

Monthly Overview

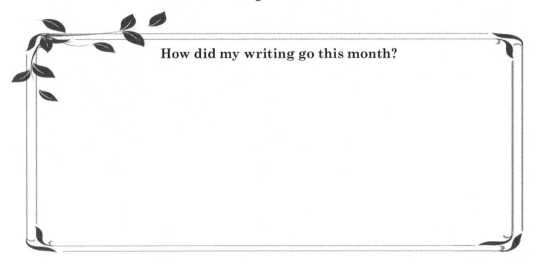

How did my writing go this month?

Did I meet my writing and personal goals? Why or why not?

Am I happy with how I spent my time?
If not, what changes will I make?

What did I learn this month that proved helpful?

What was my biggest time/ energy waster this month?
How can I eliminate it?

What have I been procrastinating on?

FIND A PLACE TO SCHEDULE IT NEXT MONTH

What goals do I want to meet next month?

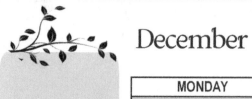

December

	MONDAY	TUESDAY	WEDNESDAY
	30	1	2
	7	8	9
	14	15	16
	21	22	23
	28	29	30

This Month's Focus

Personal Projects

Writing Projects

Other

Social Media Goals

THURSDAY	FRIDAY	SATURDAY	SUNDAY
3	4	5	6
10	11	12	13
17	18	19	20
24	25	26	27
31	1	2	3

Sales / Releases / Queries

December

Nov 30 — Dec 6

"No one's going to find your work until you put it in front of them."
—Demi Stevens

PRIORITY GOALS

TO DO

DREAM GOALS

	30 MONDAY		1 TUESDAY		2 WEDNESDAY	
	INTENTIONS		INTENTIONS		INTENTIONS	
6:00		6:00		6:00		
6:30		6:30		6:30		
7:00		7:00		7:00		
7:30		7:30		7:30		
8:00		8:00		8:00		
8:30		8:30		8:30		
9:00		9:00		9:00		
9:30		9:30		9:30		
10:00		10:00		10:00		
10:30		10:30		10:30		
11:00		11:00		11:00		
11:30		11:30		11:30		
	I AM CREATIVE		MY WORDS MATTER		LIFE IS GOOD	
12:00		12:00		12:00		
12:30		12:30		12:30		
1:00		1:00		1:00		
1:30		1:30		1:30		
2:00		2:00		2:00		
2:30		2:30		2:30		
3:00		3:00		3:00		
3:30		3:30		3:30		
4:00		4:00		4:00		
4:30		4:30		4:30		
5:00		5:00		5:00		
5:30		5:30		5:30		
6:00		6:00		6:00		
6:30		6:30		6:30		
7:00		7:00		7:00		
7:30		7:30		7:30		
8:00		8:00		8:00		
WRITING PROGRESS		WRITING PROGRESS		WRITING PROGRESS		

GRATITUDES

	3		4		5		6
	THURSDAY		**FRIDAY**		**SATURDAY**		**SUNDAY**
	INTENTIONS		INTENTIONS		INTENTIONS		INTENTIONS
6:00		6:00		6:00		6:00	
6:30		6:30		6:30		6:30	
7:00		7:00		7:00		7:00	
7:30		7:30		7:30		7:30	
8:00		8:00		8:00		8:00	
8:30		8:30		8:30		8:30	
9:00		9:00		9:00		9:00	
9:30		9:30		9:30		9:30	
10:00		10:00		10:00		10:00	
10:30		10:30		10:30		10:30	
11:00		11:00		11:00		11:00	
11:30		11:30		11:30		11:30	
	I MEET MY GOALS		**BUILDING MY DREAMS**		**NO EXCUSES**		**I AM AN AUTHOR**
12:00		12:00		12:00		12:00	
12:30		12:30		12:30		12:30	
1:00		1:00		1:00		1:00	
1:30		1:30		1:30		1:30	
2:00		2:00		2:00		2:00	
2:30		2:30		2:30		2:30	
3:00		3:00		3:00		3:00	
3:30		3:30		3:30		3:30	
4:00		4:00		4:00		4:00	
4:30		4:30		4:30		4:30	
5:00		5:00		5:00		5:00	
5:30		5:30		5:30		5:30	
6:00		6:00		6:00		6:00	
6:30		6:30		6:30		6:30	
7:00		7:00		7:00		7:00	
7:30		7:30		7:30		7:30	
8:00		8:00		8:00		8:00	
WRITING PROGRESS		WRITING PROGRESS		WRITING PROGRESS		WRITING PROGRESS	

LOOKING AHEAD

December

Week Of

Dec 7 – 13

*"Be kind
whenever possible.
It is always possible."*
—Dalai Lama

PRIORITY GOALS

TO DO

DREAM GOALS

	7 MONDAY		8 TUESDAY		9 WEDNESDAY
INTENTIONS		**INTENTIONS**		**INTENTIONS**	
6:00		6:00		6:00	
6:30		6:30		6:30	
7:00		7:00		7:00	
7:30		7:30		7:30	
8:00		8:00		8:00	
8:30		8:30		8:30	
9:00		9:00		9:00	
9:30		9:30		9:30	
10:00		10:00		10:00	
10:30		10:30		10:30	
11:00		11:00		11:00	
11:30		11:30		11:30	
	I AM CREATIVE		**MY WORDS MATTER**		**LIFE IS GOOD**
12:00		12:00		12:00	
12:30		12:30		12:30	
1:00		1:00		1:00	
1:30		1:30		1:30	
2:00		2:00		2:00	
2:30		2:30		2:30	
3:00		3:00		3:00	
3:30		3:30		3:30	
4:00		4:00		4:00	
4:30		4:30		4:30	
5:00		5:00		5:00	
5:30		5:30		5:30	
6:00		6:00		6:00	
6:30		6:30		6:30	
7:00		7:00		7:00	
7:30		7:30		7:30	
8:00		8:00		8:00	
WRITING PROGRESS		**WRITING PROGRESS**		**WRITING PROGRESS**	

GRATITUDES

10	11	12	13
THURSDAY	**FRIDAY**	**SATURDAY**	**SUNDAY**
INTENTIONS	INTENTIONS	INTENTIONS	INTENTIONS

THURSDAY	FRIDAY	SATURDAY	SUNDAY
6:00	6:00	6:00	6:00
6:30	6:30	6:30	6:30
7:00	7:00	7:00	7:00
7:30	7:30	7:30	7:30
8:00	8:00	8:00	8:00
8:30	8:30	8:30	8:30
9:00	9:00	9:00	9:00
9:30	9:30	9:30	9:30
10:00	10:00	10:00	10:00
10:30	10:30	10:30	10:30
11:00	11:00	11:00	11:00
11:30	11:30	11:30	11:30
I MEET MY GOALS	BUILDING MY DREAMS	NO EXCUSES	I AM AN AUTHOR
12:00	12:00	12:00	12:00
12:30	12:30	12:30	12:30
1:00	1:00	1:00	1:00
1:30	1:30	1:30	1:30
2:00	2:00	2:00	2:00
2:30	2:30	2:30	2:30
3:00	3:00	3:00	3:00
3:30	3:30	3:30	3:30
4:00	4:00	4:00	4:00
4:30	4:30	4:30	4:30
5:00	5:00	5:00	5:00
5:30	5:30	5:30	5:30
6:00	6:00	6:00	6:00
6:30	6:30	6:30	6:30
7:00	7:00	7:00	7:00
7:30	7:30	7:30	7:30
8:00	8:00	8:00	8:00
WRITING PROGRESS	WRITING PROGRESS	WRITING PROGRESS	WRITING PROGRESS

LOOKING AHEAD

December

Week Of

Dec 14 – 20

*"A goal without a plan
is just a wish."*
—Antoine de Saint-
Exupéry

PRIORITY GOALS

TO DO

DREAM GOALS

	14 MONDAY		15 TUESDAY		16 WEDNESDAY
	INTENTIONS		INTENTIONS		INTENTIONS
6:00		6:00		6:00	
6:30		6:30		6:30	
7:00		7:00		7:00	
7:30		7:30		7:30	
8:00		8:00		8:00	
8:30		8:30		8:30	
9:00		9:00		9:00	
9:30		9:30		9:30	
10:00		10:00		10:00	
10:30		10:30		10:30	
11:00		11:00		11:00	
11:30		11:30		11:30	
	I AM CREATIVE		MY WORDS MATTER		LIFE IS GOOD
12:00		12:00		12:00	
12:30		12:30		12:30	
1:00		1:00		1:00	
1:30		1:30		1:30	
2:00		2:00		2:00	
2:30		2:30		2:30	
3:00		3:00		3:00	
3:30		3:30		3:30	
4:00		4:00		4:00	
4:30		4:30		4:30	
5:00		5:00		5:00	
5:30		5:30		5:30	
6:00		6:00		6:00	
6:30		6:30		6:30	
7:00		7:00		7:00	
7:30		7:30		7:30	
8:00		8:00		8:00	
WRITING PROGRESS		WRITING PROGRESS		WRITING PROGRESS	

GRATITUDES

17	18	19	20
THURSDAY	**FRIDAY**	**SATURDAY**	**SUNDAY**
INTENTIONS	INTENTIONS	INTENTIONS	INTENTIONS
6:00	6:00	6:00	6:00
6:30	6:30	6:30	6:30
7:00	7:00	7:00	7:00
7:30	7:30	7:30	7:30
8:00	8:00	8:00	8:00
8:30	8:30	8:30	8:30
9:00	9:00	9:00	9:00
9:30	9:30	9:30	9:30
10:00	10:00	10:00	10:00
10:30	10:30	10:30	10:30
11:00	11:00	11:00	11:00
11:30	11:30	11:30	11:30
I MEET MY GOALS	BUILDING MY DREAMS	NO EXCUSES	I AM AN AUTHOR
12:00	12:00	12:00	12:00
12:30	12:30	12:30	12:30
1:00	1:00	1:00	1:00
1:30	1:30	1:30	1:30
2:00	2:00	2:00	2:00
2:30	2:30	2:30	2:30
3:00	3:00	3:00	3:00
3:30	3:30	3:30	3:30
4:00	4:00	4:00	4:00
4:30	4:30	4:30	4:30
5:00	5:00	5:00	5:00
5:30	5:30	5:30	5:30
6:00	6:00	6:00	6:00
6:30	6:30	6:30	6:30
7:00	7:00	7:00	7:00
7:30	7:30	7:30	7:30
8:00	8:00	8:00	8:00
WRITING PROGRESS	WRITING PROGRESS	WRITING PROGRESS	WRITING PROGRESS

LOOKING AHEAD

December

Week Of

Dec 21 – 27

Good things come to those who wait, but better things come to those who take action!

PRIORITY GOALS

TO DO

DREAM GOALS

	21 MONDAY		22 TUESDAY		23 WEDNESDAY
INTENTIONS		**INTENTIONS**		**INTENTIONS**	
6:00		6:00		6:00	
6:30		6:30		6:30	
7:00		7:00		7:00	
7:30		7:30		7:30	
8:00		8:00		8:00	
8:30		8:30		8:30	
9:00		9:00		9:00	
9:30		9:30		9:30	
10:00		10:00		10:00	
10:30		10:30		10:30	
11:00		11:00		11:00	
11:30		11:30		11:30	
	I AM CREATIVE		**MY WORDS MATTER**		**LIFE IS GOOD**
12:00		12:00		12:00	
12:30		12:30		12:30	
1:00		1:00		1:00	
1:30		1:30		1:30	
2:00		2:00		2:00	
2:30		2:30		2:30	
3:00		3:00		3:00	
3:30		3:30		3:30	
4:00		4:00		4:00	
4:30		4:30		4:30	
5:00		5:00		5:00	
5:30		5:30		5:30	
6:00		6:00		6:00	
6:30		6:30		6:30	
7:00		7:00		7:00	
7:30		7:30		7:30	
8:00		8:00		8:00	
WRITING PROGRESS		**WRITING PROGRESS**		**WRITING PROGRESS**	
GRATITUDES					

24	25	26	27
THURSDAY	**FRIDAY**	**SATURDAY**	**SUNDAY**
INTENTIONS	INTENTIONS	INTENTIONS	INTENTIONS
6:00	6:00	6:00	6:00
6:30	6:30	6:30	6:30
7:00	7:00	7:00	7:00
7:30	7:30	7:30	7:30
8:00	8:00	8:00	8:00
8:30	8:30	8:30	8:30
9:00	9:00	9:00	9:00
9:30	9:30	9:30	9:30
10:00	10:00	10:00	10:00
10:30	10:30	10:30	10:30
11:00	11:00	11:00	11:00
11:30	11:30	11:30	11:30
I MEET MY GOALS	BUILDING MY DREAMS	NO EXCUSES	I AM AN AUTHOR
12:00	12:00	12:00	12:00
12:30	12:30	12:30	12:30
1:00	1:00	1:00	1:00
1:30	1:30	1:30	1:30
2:00	2:00	2:00	2:00
2:30	2:30	2:30	2:30
3:00	3:00	3:00	3:00
3:30	3:30	3:30	3:30
4:00	4:00	4:00	4:00
4:30	4:30	4:30	4:30
5:00	5:00	5:00	5:00
5:30	5:30	5:30	5:30
6:00	6:00	6:00	6:00
6:30	6:30	6:30	6:30
7:00	7:00	7:00	7:00
7:30	7:30	7:30	7:30
8:00	8:00	8:00	8:00
WRITING PROGRESS	WRITING PROGRESS	WRITING PROGRESS	WRITING PROGRESS

LOOKING AHEAD

December

Week Of

Dec 28 — Jan 3

*"A writer only
begins a book.
A reader
finishes it."
—Samuel Johnson*

PRIORITY GOALS

TO DO

DREAM GOALS

	28 MONDAY		29 TUESDAY		30 WEDNESDAY
	INTENTIONS		**INTENTIONS**		**INTENTIONS**
6:00		6:00		6:00	
6:30		6:30		6:30	
7:00		7:00		7:00	
7:30		7:30		7:30	
8:00		8:00		8:00	
8:30		8:30		8:30	
9:00		9:00		9:00	
9:30		9:30		9:30	
10:00		10:00		10:00	
10:30		10:30		10:30	
11:00		11:00		11:00	
11:30		11:30		11:30	
	I AM CREATIVE		**MY WORDS MATTER**		**LIFE IS GOOD**
12:00		12:00		12:00	
12:30		12:30		12:30	
1:00		1:00		1:00	
1:30		1:30		1:30	
2:00		2:00		2:00	
2:30		2:30		2:30	
3:00		3:00		3:00	
3:30		3:30		3:30	
4:00		4:00		4:00	
4:30		4:30		4:30	
5:00		5:00		5:00	
5:30		5:30		5:30	
6:00		6:00		6:00	
6:30		6:30		6:30	
7:00		7:00		7:00	
7:30		7:30		7:30	
8:00		8:00		8:00	
	WRITING PROGRESS		**WRITING PROGRESS**		**WRITING PROGRESS**

GRATITUDES

	31 THURSDAY		1 FRIDAY		2 SATURDAY		3 SUNDAY
INTENTIONS		**INTENTIONS**		**INTENTIONS**		**INTENTIONS**	
6:00		6:00		6:00		6:00	
6:30		6:30		6:30		6:30	
7:00		7:00		7:00		7:00	
7:30		7:30		7:30		7:30	
8:00		8:00		8:00		8:00	
8:30		8:30		8:30		8:30	
9:00		9:00		9:00		9:00	
9:30		9:30		9:30		9:30	
10:00		10:00		10:00		10:00	
10:30		10:30		10:30		10:30	
11:00		11:00		11:00		11:00	
11:30		11:30		11:30		11:30	
	I MEET MY GOALS		**BUILDING MY DREAMS**		**NO EXCUSES**		**I AM AN AUTHOR**
12:00		12:00		12:00		12:00	
12:30		12:30		12:30		12:30	
1:00		1:00		1:00		1:00	
1:30		1:30		1:30		1:30	
2:00		2:00		2:00		2:00	
2:30		2:30		2:30		2:30	
3:00		3:00		3:00		3:00	
3:30		3:30		3:30		3:30	
4:00		4:00		4:00		4:00	
4:30		4:30		4:30		4:30	
5:00		5:00		5:00		5:00	
5:30		5:30		5:30		5:30	
6:00		6:00		6:00		6:00	
6:30		6:30		6:30		6:30	
7:00		7:00		7:00		7:00	
7:30		7:30		7:30		7:30	
8:00		8:00		8:00		8:00	
WRITING PROGRESS		**WRITING PROGRESS**		**WRITING PROGRESS**		**WRITING PROGRESS**	

LOOKING AHEAD

January 2021

This Month's Focus

Personal Projects

Writing Projects

Other

MONDAY	TUESDAY	WEDNESDAY
28	29	30
4	5	6
11	12	13
18	19	20
25	26	27

Social Media Goals

THURSDAY	FRIDAY	SATURDAY	SUNDAY
31	1	2	3
7	8	9	10
14	15	16	17
21	22	23	24
28	29	30	31

Sales / Releases / Queries

Book List

☑ Books in My Genre
_____

☐ _____

☐ _____

☐ _____

☐ _____

☐ _____

☐ _____

☐ _____

☐ _____

☐ _____

☐ _____

☑ Books on Business
_____

☐ _____

☐ _____

☐ _____

☐ _____

☐ _____

☐ _____

☐ _____

☐ _____

☐ _____

Book List

☑ Books on Writing Craft

☐

☐

☐

☐

☐

☐

☐

☐

☐

☑ Other

☐

☐

☐

☐

☐

☐

☐

☐

Story Ideas

_____

_____

_____

_____

_____

_____

_____

_____

_____

_____

_____

_____

_____

_____

_____

_____

_____

_____

_____

_____

_____

Story Ideas

Story Ideas

_____

_____

_____

_____

_____

_____

_____

_____

_____

_____

_____

_____

_____

_____

_____

_____

_____

_____

Story Ideas

_____

_____

_____

_____

_____

_____

_____

_____

_____

_____

_____

_____

_____

_____

_____

_____

Need more room for your story ideas?
Visit YOTBpress.com/authorjourney for free printables!

Resources for Writers

Obviously this list is not comprehensive, nor does it seek to be. Instead we have chosen the books and courses that unlocked something magical for us, ones that made our writing and publishing dreams possible, productive, and infinitely repeatable.

Inspiration

Big Magic—Elizabeth Gilbert

Writing Down the Bones—Natalie Goldberg

On Writing—Stephen King

Bird by Bird—Anne Lamott

The War of Art—Steven Pressfield

The Writing Process

The Emotion Thesaurus—Angela Ackerman and Becca Puglisi

Writing Active…(series)—Mary Buckham

Writing Fiction—Janet Burroway

From Where You Dream—Robert Olen Butler

Story Genius—Lisa Cron

QuickandDirtyTips.com/GrammarGirl—Mignon Fogarty
    (think Strunk & White, but more fun)

Story—Robert McKee

The Anatomy of Story—John Truby

Poetry

The Poetry Home Repair Manual—Ted Kooser

Children's

Writing Children's Books—Anthony D. Fredericks

Writing Picture Books—Ann Paul

Writing with Pictures—Uri Shulevitz

Institute of Children's Literature (home study course)

Audio

The Successful Author Mindset—Joanna Penn

Meditations for Mindful Writers —Dr. Madhu Wangu

Business

Self-Publishing 101 (video course)—Mark Dawson

Ads for Authors (video course)—Mark Dawson

Profit First—Michael Michalowicz

Successful Self-Publishing—Joanna Penn

Podcasts

Self-Publishing Show—Mark Dawson and James Blatch

The Creative Penn—Joanna Penn

Save time! Visit YOTBpress.com/authorjourney for a hyperlinked list of these resources.

Submission Tracker

# Title	Word Count	Deadline	Date Submitted	Decision Notified
1. *My Delphi*	<1500	12/15	4/30	
2.				
3.				
4.				
5.				
6.				
7.				
8.				
9.				
10.				
11.				
12.				
13.				
14.				
15.				
16.				
17.				
18.				
19.				
20.				
21.				
22.				

Submission Tracker

Publisher	Contact Info	Submission Guidelines URL
1. *Mid-American Review*		http://casit.bgsu.edu/
2.		
3.		
4.		
5.		
6.		
7.		
8.		
9.		
10.		
11.		
12.		
13.		
14.		
15.		
16.		
17.		
18.		
19.		
20.		
21.		
22.		

Need more room for your submission tracker?

Visit YOTBpress.com/authorjourney for free printables!

Income

Date	Description	Amount
		$
		$
		$
		$
		$
		$
		$
		$
		$
		$
		$
		$
		$
		$
		$
		$
		$
		$
		$
		$

Income

Date	Description	Amount
		$
		$
		$
		$
		$
		$
		$
		$
		$
		$
		$
		$
		$
		$
		$
		$
		$
		$
		$
		$
		$

Need more room for tracking your income? WAY TO GO!

Visit YOTBpress.com/authorjourney for free printables!

Expenses

Date	Description	Category

Expenses

Date	Description	Category

Category Key:

Capital Expenses
Business Use of Home
Business Use of Car

Travel
Entertainment
Mileage
Supplies
Postage

Professional Development
Advertising
Taxes
Rental
Cost of Goods Sold

Need more room for tracking expenses?

Visit YOTBpress.com/authorjourney for free printables!

Publishing Contacts

Name   Email/Phone #   Company

Publishing Contacts

Name	Email/Phone #	Company

About the Authors

USA Today bestselling author **LAURIE J. EDWARDS** is also a freelance editor and illustrator. In addition to having more than 2300 magazine and educational articles published, she is the author of 50+ books for children and adults in print or forthcoming under several pen names.

A former teacher and librarian, as well as the founder and former owner of Leap Books, a small YA publishing house, Laurie works as a freelance editor and/or copy editor for several educational publishers and speaks at writing conferences and events around the country. She also teaches writing classes for A Novel Idea, Story Makers, and for several universities.

After receiving an MA from Vermont College, she received her MFA in Children's Writing and Illustrating from Hollins University, and her first illustrated picture book app, *The Teeny Tiny Woman*, was picked up by RIF (Reading is Fundamental) for their Billion eBook Gift program, and 20 million copies were distributed to families around the world.

To connect with Laurie or find out more about her and her writing, visit her website, Facebook, or Twitter.

Website: www.lauriejedwards.com

Facebook: www.facebook.com/laurie.j.edwards

Twitter: https://twitter.com/lauriejedwards

Dr. DEMI STEVENS, CEO, Year of the Book press, turns writing dreams into successfully published books. She has personally assisted in the production of 350 titles by more than 150 authors, ranging from children's picture books to sizzling romance, award-winning mysteries, and bestselling business books.

She holds degrees from West Virginia University, Capital, Northwestern, and Ohio State, and has taught at Ohio State University and Delaware Valley College, and served as Director of Paul Smith Library in southcentral Pennsylvania.

Many clients call Demi the "Book Whisperer," but perhaps "Book Midwife" is more appropriate, because literary labor and delivery can be so painful. Each year she coaches a limited number of writers one-on-one through the entire drafting, editing, and publishing process.

To learn more, visit: YOTBpress.com

Or email her at: demi@yotbpress.com

Let's make this YOUR Year of the Book!

Notes

Notes

Notes

Notes

Notes